D0833765

Ce sont amis que vent emporte

DU MÊME AUTEUR

Romans

Lady Black, 1971, Flammarion.
Évolène, 1972, Flammarion.
Les Loukoums, 1973, Flammarion.
Le cœur qui cogne, 1974, Flammarion.
Killer, 1975, Flammarion.
Niagarak, 1976, Livre de Poche.
Le Petit Galopin de nos corps, 1977, Laffont.
Kurwenal ou la part des êtres, 1977, Laffont.
Je vis où je m'attache, 1978, Livre de Poche.
Portrait de Julien devant la fenêtre, 1979, Laffont.
Le Temps voulu, 1979, Flammarion.
Le Jardin d'acclimatation, 1980, Flammarion, prix Goncourt 1980.
Biographie, 1981, Flammarion.
Romances sans paroles, 1982, Flammarion.
Premières pages, 1983, Flammarion.
L'Espérance de beaux voyages été/automne, 1984, Flammarion.
L'Espérance de beaux voyages hiver/printemps, 1984, Flammarion.
Louise, 1986, Flammarion.
Une vie de chat, 1986, Albin Michel, prix 30 millions d'amis.
Fête des mères, 1987, Albin Michel.
Romans, un roman., 1988, Albin Michel.
Hôtel Styx, 1989, Albin Michel.
La Terrasse des audiences au moment de l'adieu, 1990, Leméac.
Douce France, 1990, Leméac.

Théâtre

Théâtre 1 : Il pleut si on tuait papa-maman; Dialogue de sourdes; Freaks Society; Champagne; Les Valises, 1973, Flammarion.
Théâtre 2 : Histoire d'amour; La Guerre des piscines; Lucienne de Carpentras; Les Dernières Clientes, 1976, Flammarion.
Théâtre 3 : September Song; Le Butoir; Vue imprenable sur Paris; Happy End, 1979, Flammarion.

Pour enfants

Plum Parade, ou 24 heures de la vie d'un mini-cirque, 1973, Flammarion.
Mon oncle est un chat, 1981, Éditions de l'Amitié.

YVES NAVARRE

Ce sont amis que vent emporte

Roman

FLAMMARION

ISBN : 2-08-066612-6
Printed in France

Que sont mes amis devenus
Eux que j'avais si près tenus
Et tant aimés?

...

Ce sont amis que vent emporte
Et il ventait devant ma porte
Les emporta

RUTEBEUF

Premier jour

Il dort, les yeux ouverts, le regard rivé au plafond, je l'aime comme au premier instant. Nous vivons ensemble depuis vingt ans. Il s'appelle David, il est danseur. Je m'appelle Roch, je suis sculpteur. L'hiver fut rude. Il n'y a pas eu de printemps. L'été est tombé sur Montréal brutalement. David, le premier jour de grande chaleur, était-ce l'odeur des bourgeons?, a décidé de ne plus suivre son traitement de D.D.I., irréversible atteinte aux membres inférieurs, « je veux m'en aller en douceur, fais-moi rêver s'il te plaît ». Chaque jour je change les draps. Nous dormons côte à côte, main dans la main nous sommes en chemin et, quand ses doigts s'abandonnent dans les miens, je sais qu'en rêve il rejoint des souvenirs d'enfance qui seront à tout jamais le secret de ce qui s'est passé avant notre rencontre. Chaque matin je le porte dans son bain. Le plus difficile est de l'allonger dans l'eau sans faire déborder la baignoire. Je sais désormais le niveau exact pour ne pas faire trop clapoter et la température qu'il supporte. Je m'agenouille, et avec une éponge je frotte son corps tout du long, ses pieds qui le portèrent un temps, jetés battus, sauts de l'ange genoux repliés, mon bondissant, mon météore, je tords l'éponge au-dessus de sa tête, son visage dégouline, il sourit et souffle « encore », ou bien « merci ». Comment dire l'amour que m'inspire ce corps squelettique que tout ronge du dedans et que je vois encore beau comme au soleil de nos vacances, hâlé, la peau salée, svelte comme au temps de nos errances, je le suivais de ville en ville, au hasard de ses contrats, je me recréais chaque fois un atelier. Il y a des sculptures de moi dans le monde entier, et ses danses, les traces de ses pas, l'air brassé de ses gestes, je me dis que tout cela existe encore, gravé dans des mémoires. Je quitte la sculpture pour me livrer à la gravure, cette forme grave d'écriture, sans laquelle je ne pourrais pas vivre les semaines à venir et offrir à David, dans mon regard, la certitude que rien n'a changé. Me voici précipité dans la fin de notre histoire, sculpteur au bord du précipice, écrivant pour ne pas me faire un sang d'encre, alors que coule dans mes veines le même sang de navet que celui de David. Il part le premier et je souhaite, par les mots, m'armer et lui donner, jusqu'à son dernier souffle, ce que j'aurais voulu que l'on m'offrît si j'avais été désigné à sa place. Sont à venir les semaines de notre plus longue étreinte, ce qui ne se voit pas, ce qui ne se dit pas, ce à quoi on ne croit toujours pas, le sentiment, ce bel indifférent qui ne fait pas la différence entre les couples. David dort. Mon cœur bat au rythme du sien. Nous sommes branchés sur le même chronomètre. Il me faudra pourtant parcourir un peu plus de chemin que lui, seul. Combien de fois nous sommes-nous quittés, un jour, deux jours? Nous nous lancions des « pour toujours », des « c'est fini » ou « ça suffit ». Ces jours-là comptent autant que les autres. La distance et les colères passagères nous rapprochaient l'un de l'autre.

Nous n'écoutons plus de musique. Le téléphone est sur répondeur automatique, *bonjour, nous sommes là mais nous ne pouvons présentement vous répondre. Au top sonore, merci de nous laisser un message. Nous vous rappellerons dès que possible.* David ne supportait plus les appels, « c'est Martha », « c'est Rudy », « c'est Mario », « c'est Rachel », « c'est Ruth ». A chaque fois il me faisait signe de dire que tout allait très bien. Les amis harcèlent alors que depuis longtemps circule la nouvelle. On me donnait des messages pour lui, « dis-lui que je l'aime », « dis-lui que j'ai dansé pour lui », « dis-lui que la troupe l'embrasse », « dis-lui que j'ai un projet de ballet dès que ça ira mieux ». Mieux? Je n'ai rien répété de cela à David, mon gaillard, mon tournoyeur, il virevolte dans ma tête. Pourquoi dort-il les yeux ouverts? Danse-t-il encore sur le plafond, seul, en silence, devant la foule des spectateurs de notre vie, et nos familles au premier rang, celles et ceux qui n'ont pas compris et, pire, celles et ceux qui ont cru comprendre ou qui ont fait semblant. Il sera ici question de l'amour tel quel. Cette peste de fin de siècle est notre honneur, notre victoire et notre sceau. L'éternel retour ne présume-t-il pas un éternel départ ? C'est toujours le premier instant. Voilà à venir, par les mots, l'insoutenable gravité de deux, ne surtout plus déguiser l'horreur et veiller à ce que rien ne la pare. Je me souviens d'une carte postale de David, le premier an de notre rencontre, de Florence, « courage car le temps sera toujours le plus fort ». Il y a trois ans, de Berlin cette fois, « je t'attendrai à l'aéroport. Le sol est dur aux genoux ces temps-ci ». Les mots l'emportent sur la réalité puisque ces phrases, à cette ligne, me reviennent en mémoire, trajectoire du javelot qui se plante sur cette page, très exactement sur le second point du *i* de *ici*, cet atelier de l'avenue Coloniale, entre Duluth et Rachel, où tout semble suspendu à la simple magie des lieux et des formes. Le temps s'est arrêté là où l'émotion est née.

David était en tournée avec une troupe venue d'Allemagne. Il dansait le Pierrot lunaire dans un décor de poutrelles, funambule, athlétique, voltigeur, brusquement humain, à la fois stable et disloqué dès qu'il touchait la scène. Je l'avais attendu dehors, de l'autre côté de la rue Saint-Urbain, face à la sortie des artistes. La porte s'ouvrit tant de fois, puis ce fut lui, seul, le sac sur l'épaule, son premier regard avait été pour moi : nous nous attendions donc. Une semaine plus tard, il m'enverra une carte de San Francisco, « tu dois retrouver l'enfant qu'on ne t'a pas laissé être, laisse-le jouer tranquille, j'y veillerai, nous nous reverrons ». Autre message, autre étape, et partout le Pierrot lunaire, « vivre sa mort plutôt que mourir sa vie, tibi. David, vivons ». Et celui-ci, de Sydney, une vue du port parfaitement banale, et derrière, « mon Roch, cherchons avant tout à marquer d'une légère encoche que nous tenons à la possibilité de déséquilibre au risque d'échouer, et à l'exclusivité de nous. D. ». Ainsi parlait-il. Les pensées lui venaient comme des gestes, rien de convenu, nulle chorégraphie, il dansait avec les mots comme sur une musique que nous eussions improvisée. Parfois les amis nous moquaient, « prétentieux, impitoyables, égoïstes, cyniques, froids, seulement copains de vous-mêmes », « vous le couple idéal », ou « aussi fous l'un que l'autre ».

Chaque matin, je suis nu, il est nu, je le porte dans son bain, je ne veux pas qu'il ait à s'accrocher à mon cou, à laisser traîner ses pieds, il n'a plus la force que de me dire un mot à la fois. Je suis nu parce que je le sors de l'eau et le hisse, chemin de serviettes jusqu'au lit, où je le sèche minutieusement, le couvrant au fur et à mesure pour qu'il ne prenne pas le froid des grandes chaleurs, meurtriers courants d'air. La main tremblante, David caresse mon torse mouillé, puis mon ventre, me saisit, encore une fois notre réjouissance. Il faut que je lui essuie la main et que je l'embrasse, fines lèvres gercées; sur le front, boucles blondes; sur les épaules, taches de rousseur mêlées aux taches suspectes, constellation. Ensuite, je nettoie les serviettes et le linge de la nuit. J'aime l'odeur de lessive et de propre, le trépidement de la laveuse, le tournoiement de la sécheuse, le parfum qui se dégage de la planche à repasser, le silence, en bas, dans l'atelier, une sculpture interrompue, je m'étais remis aux terres cuites, je pensais à des bronzes que l'on pourrait tenir dans la main et caresser, c'est désormais David que je pétris. Et si je vois qu'un sommeil l'habite profondément, ses lèvres alors ne tremblent plus, je vais comme un voleur chez l'épicier le plus proche acheter des yaourts, des fruits, des biscuits, du café, du thé, du lait, des fromages, de quoi tenir le siège, place forte de cet atelier que je loue depuis vingt-deux ans et que le propriétaire veut vendre dès juillet, « le bon mois », a-t-il dit, et il a précisé, « il faudra que vous preniez à votre charge les frais de désinfection ». Ainsi, l'amour n'est recevable que lorsque les mornes normes sont respectées. Avant David, il y avait l'écart, le fossé, entre la parole donnée et l'image reçue, rendue, en retour. De mot en mot, ici je ravirai, risque du ravissement, la part des êtres, la part de nous deux dans ce monde qui ne fait que la part des choses et célèbre les propriétaires, les tenanciers capables seulement d'inventaires. Ainsi, à écrire, je nous retrouve joyeux et sûrs de deux, tout sauf triomphants, quand bien même nous nous sommes rencontrés alors que la cause de notre amour particulier faisait le régal des militants et des médias.

Un amour, comme ces lignes, ne se décide pas, il survient, surgit, vous tombe dessus. On ne le sait qu'après, quand la fin est inévitable, décidée. David a voulu que je jette les médicaments et a annoncé lui-même sa décision au docteur K. C'était le soir du premier jour de canicule, il n'y avait pas eu de printemps. « Les cris des mouettes », a murmuré David. « Ce sont des goélands, a répondu le docteur K., ils viennent pour les ordures, leur nourriture. »

Deuxième jour

Je l'ai porté jusqu'à l'atelier. Il y a un mur de miroirs, une barre et un parquet ajusté tout de long pour qu'il puisse faire ses exercices. Nous passions les hivers là, il ne rejoignait telle ou telle compagnie pour tant et tant de cours, de formations, de tournées, qu'aux beaux jours. Je le suivais comme on flaire et s'obstine. Tout ce qu'il voulait. Il m'appelait son « valet de cœur ». Je l'ai posé près de la barre. Il s'y cramponna de la main droite puis des deux mains, face au miroir, me faisant signe de m'écarter. Comment tenait-il sur ses jambes? Il essaya vainement de se mettre sur la pointe des pieds, ses genoux tremblaient; puis il tenta de plier les jambes, la tête entre les bras, ses coudes flanchaient; il se redressa comme pris de vertige et, les mains sur ses épaules, je le remis face à lui-même. Il respira profondément, plusieurs fois de suite, respiration vrillante, il était déjà à bout de souffle et se voulait encore capable de gestes. Les pieds nus, à l'équerre, il lâcha la barre de la main gauche, esquissa un salut, « tu vois? » Je voyais qu'il souriait, et à quel point un sourire peut n'être qu'une grimace refoulant des pleurs. Je lui dis, « tu te fais mal ». Il répondit, « regarde bien », fit un petit saut de côté, se rattrapant de justesse des deux mains, « écarte-toi ». Je fis un pas en arrière. « Encore. » Un autre pas. Il s'effondra, à genoux, les mains sur la barre, le front contre le miroir, il riait comme on peut rire quand on crie en silence. J'ai encore envie de voir son visage, la mémoire ne fait aucun ravage. David est quelqu'un dont la présence gestuelle, l'affirmation corporelle, la sensualité du pas se reconnaissaient entre toutes. Il se plaisait à dire, « je ne suis à la recherche d'aucun style ». Et comme il ne pouvait parler de lui sans parler de moi, il disait, « regardez les sculptures de Roch, ce sont des sourires de la matière, ça ne s'explique pas ».

Dans les troupes, en tournée, on m'aimait, et on ne m'adopta jamais. A une époque où la sculpture de récupération, bouts de fer, boulons, tôles découpées, agglomérats d'objets usuels, ou simples cailloux disposés en lignes ou en tas sur des sols blancs, faisaient fureur, je m'obstinais à travailler au scalpel les terres de Xian, d'Ombrie, de Bali, de haute Égypte, des plateaux surplombant la Chaussée des Géants, de l'Amazonie, du Colorado, les glaises de toutes les sources, j'avais toujours avec moi un sac en plastique, nos valises étaient pleines des poussières du monde, et je modelais des formes vaguement humaines, toujours à la demande, seuls comptaient le geste vers l'autre et le contact de l'objet créé dans la main, sculptures de poches, un art de l'errance. Chaque hiver je faisais mouler quelques bronzes aux fonderies d'Inverness près de Québec, chez Lalonde Frères à Bruxelles ou par Kripnietzky à Athènes. Ce n'était jamais à la mode, les marchands boudaient. Il fallait « trouver les amateurs ». Je me disais que la sincérité, en soi, était un excès dont seul David pouvait comprendre l'urgence et l'économie : tout lui était dédié.

Nous sommes restés longtemps côte à côte, le front contre le miroir. Il essaya de se relever, chavira dans mes bras, « encore », disait-il. Je l'ai remis debout, le tenant par les aisselles, maigreur de ses bras, tétanie des muscles. Il se regarda et murmura, « il est temps, n'est-ce pas ? », puis à voix presque inaudible, « c'était beau, en musique, quand j'avais mon corps ». Je l'ai repris dans mes bras en riant, « hop, dodo ». Je me suis senti ridicule de lui parler comme à un gosse, de le porter ainsi, tel un époux son épouse pour une nuit inaugurale. Raconte, Roch, et fais qu'en toi se reconnaisse chaque être. C'était ce matin. Il dormira toute la journée les yeux ouverts, rivés sur le plafond, territoire de ses rêves. Je me cache pour écrire ces lignes avec une peur plus grande encore que celle de la maladie qui nous emporte. La mode ne supporte que l'écrit, qui reproduit, pas l'écriture, qui produit ce qui perdure, l'écrire-juste est insupportable. On n'aime que la récupération, les bouts de fer, les compressions et les boulons. Je sais si peu de choses, peut-être parce que je suis curieux. Vivre et avant tout regarder, écrire, ici, ce que je ne saurai jamais de David? J'inventerai pour le fond plus que pour la forme, sombre illusion des récits qui se veulent efficaces, épatants, prédateurs. C'est d'éternité qu'il s'agit à ces lignes, une éternité de deux, rien ne pourra salir notre histoire, pas même les détails qui font l'horreur du quotidien, l'honneur de la fidélité à un autre, coins et recoins d'une mémoire commune, plis, fossettes, creux, cambrures, toisons, odeurs, jusqu'aux verrues entre les doigts de pieds de mon aimé, amant, aimant, désarmé, alarmant, touchant.

David est né à Alexandrie, de père balte et de mère juive. La famille avait des biens et une maison, perdue dans les arbres, en bordure de l'estuaire. David jouait souvent *à la statue* avec ses deux sœurs, et Oswyn, un petit voisin anglais qui se moquait toujours de lui et prétendait, rouquin qu'il était, être plus blond que lui. Le jeu consistait, pour trois d'entre eux, à se mettre en ligne à bonne distance du quatrième. « Un, deux, trois », disait le quatrième le dos tourné, on avait alors le droit d'avancer. À « trois! », quand le quatrième se retournait, il fallait *faire la statue*, ne plus bouger du tout, sinon retour obligé à la ligne de départ. « Je gagnais toujours, m'a confié David, c'est comme ça que j'ai appris à danser. Je prenais les poses les plus élancées, un bond d'abord, puis l'arrêt, parfaitement immobile, dans l'instant. Pour ne pas me laisser troubler par mes sœurs ou Oswyn et leurs pitreries, je regardais le ciel, y puisais la force du sérieux et de l'équilibre. »

Qui a écrit, *la nuit isole les douleurs, alors je veille, je suis le veilleur de la nuit qui drape mon ami*? Moi? Qui a écrit, *rien n'est concevable de l'épreuve si l'on n'est pas dans l'épreuve*? Moi? Qui a écrit, *on ne vit jamais vraiment seul lorsqu'on porte en soi l'univers, un, un autre. La solitude ne pointe le bout du nez que lorsqu'on s'écarte, trop occupé à quêter l'écho du silence de l'autre, mon autre*? Moi? Est-ce possible?

A l'arrivée de Nasser, pour la famille de David, ce sera la faillite et la fuite, le souvenir d'une vaste maison fraîche, de vaisselle rutilante, de gourmandises de repas du matin, puis la misère d'un hôtel de Naples, une année à Vienne, et finalement Copenhague où le père reprendra des affaires avec un cousin. C'est Rachel, la mère de David, qui lui fera donner ses premiers cours de danse. « Elle voulait me garder pour elle seule. » David ajoutera, une nuit de confidence, « c'est mon éternelle petite fiancée. Elle n'a jamais été aussi belle que depuis la mort de mon père. On la courtise encore ». J'ai rencontré Rachel, à Copenhague, il y a quinze ans. J'eus du mal à croiser son regard. Dès que j'avais le dos tourné, je sentais qu'elle m'observait. Leïla, l'aînée des deux sœurs, est revenue à Alexandrie. Elle est professeur d'anglais, célibataire. Ruth, la plus jeune des trois, vit à New York avec un époux psychanalyste et cinq enfants, les deux aînés se droguent déjà. Ruth, un jour, me tira les cartes sur un napperon brodé qui venait de la maison d'Alexandrie. La première carte qu'elle retourna fut le valet de cœur, la seconde, le valet de pique. Elle eut un tremblement des lèvres, « je ne peux rien dire », murmura-t-elle. « Que se passe-t-il? » demanda David. « Rien, ça ne veut rien dire, répondit Ruth en mélangeant les cartes, je vais voir si le souper est prêt. » Hans, son époux, se servit un autre whisky, « vous deux, toujours à l'eau? » Il avait une manière torve de dire *vous deux* qui débusquait en lui l'être, en principe tolérant, pour laisser place à un vague dégoût de nous et de l'emploi de nos corps. Qui a écrit, *tout être crée, sans le savoir, comme il respire, mais l'artiste se sent créer, son acte l'engage totalement, sa peine bien-aimée le fortifie*? Qui?

C'est un sentiment d'effraction que je ressens en parlant de la famille de David. Ruth est venue voir son frère, il y a deux mois, un aller et retour de New York dans la journée. David était à l'hôpital pour des examens. Ruth me dira, dans la cuisine, alors que je préparais le thé, « ici, c'est chez qui, chez vous ou chez lui? » Je ne répondais pas, elle insista, « vous devez bien savoir ce qui lui appartient et ce qui vous appartient ». Ruth avait dit *lui* et *vous* exactement comme sa mère m'avait évité du regard. J'ai murmuré, « nous ne savons plus ». En lui servant le thé, je lui ai demandé si elle se souvenait du soir où elle m'avait tiré les cartes. Sur ce, David rentra. Elle ne put répondre. Elle se mit à parler de ses aînés, de Hans qui voulait la quitter, de Leïla qui ne lui écrivait plus, des bavardages de Rachel qui lui coûtaient trop cher en téléphone, « il faut que tu la préviennes, David ». « De quoi ? » « Elle sait que tu ne danses plus. » « Exact, je ne danse plus. » Ruth regarda sa montre, il était temps de retourner à l'aéroport. « Vous pourriez au moins relever les messages sur votre répondeur. Rachel vous appelle chaque jour. » Comme une petite fille, Ruth se leva, alla au bout de l'atelier, devant la barre et, dans le miroir, adressa un clin d'œil à son frère, « un, deux, trois ? » David perdit connaissance. A peine eus-je le temps de le rattraper dans mes bras.

Ruth passa devant nous, prit son manteau, son sac, et sortit sans dire un mot. David était là, pesant, engoncé dans son blouson, étranglé par son cache-col, son bonnet de laine était tombé par terre. Dehors il neigeait, les derniers flocons de l'hiver. Et par-delà la neige, il y avait un orage, du tonnerre, comme une lueur mauve dans le ciel de coton gris, au couchant, les saisons s'entrechoquaient. David rouvrit les yeux, « ils n'ont rien compris, ils veulent tout comprendre. Elle t'a parlé d'argent ? »

Troisième jour

Parfois j'entends la voisine éternuer. Elle est allergique à l'été. Ou bien est-ce son gros matou tigré, Supercat, qui passe chez nous par le balcon commun aux deux cuisines, avec accès aux échelles de secours en cas d'incendie, autres poutrelles, vision de David, le premier soir, en Pierrot lunaire? Supercat rend visite à David. Il va s'asseoir sur le lit, droit comme un clocher, observe mon dormeur jusqu'à ce que sa maîtresse le rappelle. Il décampe. La voix de la voisine lance toujours le même, « je t'interdis d'aller chez eux, tu le sais et tu continues ». Elle vient d'éternuer plus fort encore qu'à l'ordinaire. Je ne sais pas ce qui m'a pris de crier, « à vos souhaits », et j'ai ri de bon cœur. Je suis vivant-mort, c'est mieux que mort-vivant, on travaille encore, on peut accompagner l'aimé, le premier désigné, mon, lui, nous.

David m'a appelé, inquiet. Je lui ai donné à boire un verre d'eau fraîche, je lui ai épongé le front. Un vent chaud s'engouffre dans la chambre, David frissonne. J'ai longuement caressé ses mains, à plat, sur le drap du dessus, puis je l'ai recouvert d'une couverture de coton que nous avons achetée au bord du Gange. David a bredouillé, « tu te le rappelles, les enfants se baignaient nus ? » Son regard a chaviré comme s'il avait perdu toute mémoire, brusquement. Un paquet est arrivé de Paris, ce matin, envoyé par les danseurs d'Alwyn. Ils se sont cotisés pour offrir à David le collant, « dernier cri », écrivent-ils, créé par Repetto pour *L'Après-Midi d'un faune*. Sur une carte représentant le Palais-Garnier ils ont signé, Mitsou, Arnold, Laetitia, Françoise, Hélène, Tanya, Ariane, Fabrizio, Tonio, Gert, William. Hélène a dessiné une flèche vers le nom de William et a écrit en tout petit, *il te plairait, ne le dis pas à Roch*. Je n'ai pas osé montrer le collant à David. Sur son corps, il tomberait comme une loque. Après la fin de ce texte je le remettrai à l'école de danse de la ville, ne serait-ce que pour excuser la brusque interruption des cours que donnait David, mi-janvier. Aller continuellement aux toilettes devant les élèves l'humiliait. Il rentrait et disait, « je ne peux plus rien leur apprendre, je sens mauvais ». Où est le temps où David avait décidé d'écrire un roman et s'était arrêté à la première phrase, *je suis la perle de cravate d'un prince de sang qui vient de Djibouti*, maintenant ? Je me faufilais dans mon David et je lui suçais les doigts de pieds, les orteils, alternativement, en le prenant. Combien de fois ai-je rêvé que je dormais, recroquevillé, voyageur clandestin, dans son sac de danseur, le sac pour les répétitions? La fermeture à glissière n'était jamais fermée, je pouvais respirer. Combien de fois faudra-t-il dire, écrire, clamer, que le sentiment ne fait aucune différence? David disait, « chaque fois que j'entre en scène, je veux savoir si je peux encore tomber en amour ». L'argent? Nous avons juste de quoi survivre. Un vent s'est levé qui fait claquer les draps des cordes à linge de l'arrière-cour, il y a des fleurs aux fenêtres, un chien qui aboie sur un balcon et un jeune homme, dans un jardinet, en short, jambes nues, torse nu, il répare une bicyclette. Le silence prend la trame de l'exploit. Au cœur de cette ville, non loin du fleuve et des ponts, nous voici dans l'ultime tanière. Rien n'atténue jamais, vraiment, assez. De la danse, David disait également qu'elle ne pouvait pas avoir de « circonstances atténuantes ». C'était la perfection ou la fuite, l'émotion ou la déception, et toujours l'offense. Quand il avait le sentiment de ne plus rien apprendre d'une troupe ou d'un chorégraphe, il passait des auditions, nous changions de ville.

Une lettre de lui, notre romance. Cher Roch, c'est fait, ils m'ont accepté, j'ai été choisi entre douze. Je crois que je vais m'instruire avec Martha. J'ai trouvé un logement. Il y a une pièce dans laquelle tu pourras travailler, à la lumière du nord, celle que tu aimes, celle qui ne permet pas de tricher avec les volumes, les formes et les matières. Je viens de me rendre compte, ce matin, que cela fait dix ans, jour pour jour, que nous nous sommes rencontrés, dans ta ville atlantique, dans ton pays. Je te joindrai au téléphone pour te dire le merci dès que j'aurai terminé cette lettre que je souhaite vaste tant j'ai de choses à te dire qui n'ont de valeur que si on prend le temps de les écrire : ne comptons que sur nous-mêmes. Quand tu liras cette lettre il sera toujours trop tôt. Une formule, tu me reconnais là ? Dix ans de nous, comme un instant, dialogue ininterrompu, nous fûmes ensemble même et surtout lorsque l'emploi du temps ou les humeurs nous séparaient. Il me semble que j'écris cette lettre sous ton regard, tu es dans mon dos, tu te penches, tu lis au-dessus de mon épaule, tu retiens ta respiration, tu te dis que nous nous appartenons, et qu'aucun regard venu de l'extérieur, aucun jugement d'un tiers, ami, de famille, ou proche relation, ne pourra jamais que nous réunir encore plus dans un lien de paroles, de pensées et de gestes, fussent-ils de sexe, autre langage, nous n'en finirons jamais de nous régaler l'un de l'autre. De notre paix il est question, ou de la paix simplement. Notre amour conte. Nul n'a jamais réussi à conter une épopée de la paix. Si l'humanité perd ses conteurs, elle perd son identité. Quand tu dors sur le dos, les mains croisées derrière la nuque, ta position favorite, tu vogues, je vois en toi une felouque de mon enfance, son mât incliné sur l'avant, la brise est tombée, le drap recouvre à moitié ton corps, je te caresse si doucement le ventre que tu prends ce plaisir pour une faveur de ton rêve en cours. Alors je remonte le Nil, Rachel appelle pour le goûter, elle appelle, je reste avec toi et je te bois. Merci de m'avoir fait vivre une étreinte permanente, jusque dans la séparation et l'éloignement, réjouissances à chaque mot, chaque pensée. Je danse, par et pour toi, mieux que jamais depuis dix ans : tu m'as enseigné l'art de ne jamais me satisfaire, la ferveur de l'inachèvement. Quand le rideau tombe, quand la salle applaudit, quand il faut saluer alors qu'on est à bout de souffle, quand la musique fait encore écho, je me dis que le plaisir de la foule est pour nous tous certes, et pour nous deux surtout. Rien plus ne désigne et ne pointe du doigt. Tu m'as délivré de Rachel, rupture de fiançailles. Tu m'as donné mon corps et des sens interdits. Je suis né un certain soir, il y a dix ans, rue Saint-Urbain. De l'autre côté de la chaussée il y avait un regard, le regard de tout un public dans tes yeux seulement. Te souviens-tu qu'en chemin pour l'avenue Coloniale nous ne nous sommes rien dit, sinon nos prénoms, je t'ai suivi parce que je n'avais même pas à te demander si nous allions chez toi. La chorégraphie de cette lettre n'est pas classique. Au téléphone, tout à l'heure, je ne trouverai pas les mots qu'il faut. Je préfère ceux-là, écrits, puisque je sais que tu gardes mes cartes, mes messages, comme si un jour ils pouvaient t'être d'un secours et témoigner. Je voudrais m'endormir auprès de toi et ne jamais me réveiller. Si souvent, dans mon regard, tu sens que par tentation j'ai étreint un autre que toi, sache que ce n'est ni par jeu ni par trahison. Il y va de nous deux, je reviens plus douteux encore, donc certain de notre rapport. Hier il s'appelait Lucio, un des douze autres de l'audition. Quand il m'a demandé mon prénom, je lui ai donné le tien. Comme il me faisait remarquer que ce n'était pas celui qui avait été annoncé par l'appariteur, je lui ai dit que c'était le vrai, « David n'existe pas ». Mon cadeau pour un dixième anniversaire. C'est ainsi que nous fonctionnons. Je suis toi. Qui nous pointe du doigt ? Que se murmurent-ils invariablement à l'oreille ? Quelle opinion ont-ils encore de nous, les tiens comme les miens, et les autres, les amis, toujours à nous moquer, surtout quand ils nous aiment, nous les petits cochons, les sales canards noirs ? Rien ne nous sépare et plus le temps va, plus ton corps entre dans le mien et le mien dans le tien, cheveux blonds et cheveux bruns, peau blanche et peau brune, l'immigré de sept générations et l'apatride de vingt siècles, qui est qui ?, tour à tour, une fois toi, une fois moi, une seule et unique fois nous deux désormais. Sache, mon felouque, que nous avons fait la plus dure partie du chemin, celle des inutiles chagrins et des possibles ruptures sans aucun lendemain. Je ne peux plus toucher le corps d'un autre sans penser au tien, le goût de ta bouche, la douceur de tes genoux, le poil de tes jambes, celui de ton buste, l'âcreté de tes touffes. Je ne peux plus danser sans m'imaginer que c'est toi qui m'élance, arabesques, glissades, fouettés, pirouettes, soubresauts dont tu es la cambrure. Ce n'est pas notre amour qui est étiqueté et nargué, c'est l'amour tout court qui est bradé, un bien grand risque : on ne brade pas une rareté. Rachel rôde dans ma lettre. Et ta mère, quand la rencontrerai-je? Ton père a-t-il comme toi des mains de bûcheron? Il y aura toujours du reproche dans les familles. Leïla cache son amour pour une femme plus âgée qu'elle, la mère d'Oswyn, le petit rouquin qui me rouait de coups pour une agate ou un carré de chocolat à la menthe, mes cinq ans. J'ai ce soir l'âge que tu avais quand nous nous sommes rencontrés. Dix ans de nous deux. Et tu as toujours dix ans d'avance, cela m'entraîne, merci, tibi. David. Je te fais un bec de ton Québec. L'avenue Coloniale fait le tour du monde. Elle le sangle comme un baluchon.

Nuit du troisième au quatrième jour

Je vogue à vue. Les cartes des fonds marins, obligatoires, ne servent à rien. Elles restent neuves dans le placard de la recette des textes qui échappent à l'urgence. Il faut chercher à deviner, ne pas vouloir tout savoir. Docile, je ne me suis rendu compte de rien. Comblé, j'ai des douceurs à rendre à David, je me sens débiteur. J'ai mis du temps à retranscrire sa lettre, que je lisais comme pour une première fois, j'endossais son écriture.

David m'a appelé. Il avait faim et n'a presque rien mangé, un yaourt, une pêche, une biscotte. La nuit il ne dort pas, il écoute, il guette, il observe, et moi, la main dans sa main, autre gisant, je suis à l'affût de la moindre respiration suspecte, du plus infime frisson, d'un mot s'il veut parler ou s'il parle seul dans ses rêves à la dérive. Plusieurs fois il a répété le nom de « Rachel ». S'adressait-il à moi ou à lui-même? Quatre heures du matin, dix heures à Copenhague, je viens d'appeler sa mère, « dites-moi la vérité ». « Il s'en va, madame. » « Je veux lui parler. » « Il dort, madame. » « Réveillez-le. » La voix est rauque, déterminée, « vous êtes là ? » « Oui, madame. » « Pas madame, je suis sa mère. Je l'aime. » « Moi également, madame. » « Oh, vous... » J'ai failli l'appeler Rachel, elle l'a senti. Il y eut un silence puis, « pourquoi m'appelez-vous ? » « Il vous nomme, madame, dans son sommeil. » « Il me demande ? » « Il dit seulement votre nom. » « Vous rendez-vous compte de ce que vous avez fait de lui ? » Je ne répondis pas. Elle ajouta, « faut-il que je vienne ? » Comme je ne disais rien, elle poursuivit, « Ruth et Hans ont raison, c'est vous le pervers. Vous ne pouviez donc pas faire vos saletés avec quelqu'un d'autre, mais pas lui, pas mon David, répondez-moi, ne me laissez pas seule. Ne me laissez pas dire ce que je ne pense pas. Vous m'écoutez ? Allô ? Roch ? Embrassez-le pour moi. » « Je le ferai, madame. » « Vous l'aimez donc si fort ? » « Oui, Rachel. » Elle se tut, puis elle dit, « après, je veux seulement son corps ». Et elle raccrocha.

Ce n'est pas ainsi que ça se passe dans un roman. C'est ainsi que ça se dit dans la vie. Je note : que peuvent faire un danseur et un sculpteur pour l'exaltation d'un malheur sur vingt ans de bons heurts, virus produit par tant de siècles d'intolérance et une seule décennie de prétendue libération ? Je note : de David on écrivit, *toujours parfait, il s'implique trop dans ce qu'il danse. Le charme implique la distance.* Je note : chaque mot est une violation de l'intimité de chacun de nous. On ne peut pas revenir sur un mot écrit. Il est sculpture et signature. Il paraphe l'acte de vie, il est un contrat. Je note : David m'observant en train d'écrire s'il était capable de se lever et de me surprendre. Je note : David dansant le jour du mariage de ma sœur Josée à Paspébiac. Mon père serrant les poings en le regardant. Ma mère disant, « c'est-y une danse, ça? » Mon beau-frère baissant les yeux : David dansait pour lui. Mon autre sœur Marleine murmurant, « fallait-y vraiment que tu nous le montres? » Je note, ou bien l'ai-je entendu dans un film?, le cinoche des amours : toi et moi nous ne sommes plus que deux désormais. Maintenant, c'est à toi de décider : tout ou rien, ce sera une histoire de géants, invisible, transmissible. Je note : Rachel arrivant de Copenhague sans prévenir. David obstinément se cache les yeux derrière son bras gauche, mon gaucher, il ne veut pas que sa mère le voie tel qu'il est devenu. Il ne veut pas du miroir et des plaintes. J'imagine qu'elle reste des heures au bout du lit, assise sur une chaise, son sac sur les genoux, un pied devant l'autre, tailleur strict, cheveux blancs, un petit chignon sec, elle n'a pas retiré son chapeau. Quand elle est arrivée, elle n'a pas serré la main que je lui tendais, elle m'a évité du regard, elle a simplement dit, « où est-il? » Elle avait déjà oublié que je l'avais appelée Rachel et qu'elle m'avait appelé Roch. Je note : enfant, j'attendais la première neige et toujours je l'attendrai. Je note : ce qui se produit et ce qui eût pu se produire, tout est réalité et fiction à la fois, attachement et mise à l'écart, respect et mépris, tolérance et racisme, le pire des racismes étant complice, il devient alors friand, voyeur, narquois, curieux et dégoûté. Josée m'a dit le soir de son mariage à propos de son époux, « David aurait pu me le prendre ». Marleine, au moment du départ, m'a glissé à l'oreille, « j'avais honte pour nous tous ». Que cette honte m'inspire, c'est la troisième partie de la nuit, mon David, mon spectre, mon autre moi. Je crois que c'est la nouvelle lune, nuit tranquille. J'ai appelé ta mère, David, j'ai fait le devoir de famille. Je note : est-il possible d'écrire si ce n'est forcément pour le charme, pour plaire, pour effleurer ? Je nous veux, ici, entièrement livrés à nous-mêmes, vivants, ivres l'un de l'autre, tels quels. Je note : combien de fois nous sommes-nous parlé du pouvoir des mots et, nous sachant atteints, toi le premier, jeune premier de notre amour qui ne tient plus qu'à ton souffle, de la maladie versant à la mort comme d'une « décision spirituelle » ? C'était ça ou le traitement, jouer les prolongations, attendre le médicament miracle.

Ce qui nous ronge, David, c'est d'avoir été envers et par tout et tous ce que nous étions, pleinement. Je ne t'ai jamais vu faire sur scène un pas charmeur pour la frime. Le jour se lève. Je voudrais écrire notre chant de deux. Je veux conquérir une histoire de nous-mêmes. L'essentiel parfois, être rien que beaux. Nous avons une histoire et nous allons continuer à en avoir une, infiniment. Merci infiniment, madame Rachel. Votre dévoué Roch.

Quatrième jour

De l'incessante, l'impitoyable bataille entre l'esprit et la chair; du sentiment qui commence, tendre, et qui devient douleur; de la mort qui n'est pas une porte qui se ferme, elle s'ouvre pour laisser entrer; de tout cela il devrait être question, questions qui n'appellent aucune réponse, les questions seulement pour la fusion de deux, et non de ces réponses confuses qui galvaudent, alertent, dénoncent : David s'est endormi après le bain, pendant que je le séchais. Il sait que s'il dort de jour il ne peut pas mourir, puisque j'écris. « Quoi? » « Nous. » « Alors, tu *me* dis? » « Oui. » Il marmonne que je suis son Sganarelle, que Sganarelle vient du lombard *sganiare*, il répète en riant presque *sganiare*, et il explique que cela veut dire tout à la fois mordre à pleines dents et parler clair. Il rit, il a le hoquet, il bave, je l'essuie, je l'embrasse sur les lèvres, baiser volé, baiser donné, il s'endort apaisé.

La nuit il se tient en éveil, juste à la surface, parfois il se cramponne à moi comme au rebord d'une barque, allons-nous chavirer? Comment saisir cet instant fécond, fastueux, où la pensée atteint la limite extrême de la possibilité d'être deux sans cependant la franchir? Nous étions en croisière en Grèce, c'était la troisième année. « Qui sont les invités, qui sont les évités ? » avait demandé David en arrivant sur l'*Apollo VII*, le nouveau paquebot de l'armateur Kaftanzoglou, notre amphitryon pour ce voyage inaugural, Le Pirée, Délos, Théra, Héraklion, Rhodes, Patmos, Chios, Lesbos, Thasos. La compagnie de Paul avait été invitée au grand complet, « pour le prestige », disait l'armateur, « pour les danseuses », disait Paul, géant noir qui eût tant souhaité *faire de* David son favori. Or, je faisais partie des bagages. Inévitablement. Nous étions des enfants choyés et chahuteurs. David était fier de m'avoir avec lui, grâce à lui?, sous un tel soleil, si loin de ma ville, de l'avenue Coloniale et de mes sculptures hasardeuses, « avec les mains que tu as, tu devrais sculpter des gratte-ciel, ton père a bien abattu des forêts du temps où il n'y avait pas encore de tronçonneuses ». Était-ce la proximité d'Alexandrie?, David se mit à parler avec l'accent de sa mère. La troupe le surnomma « Mamma », « Mamma » par-ci, « Mamma » par-là. Tous riaient, sauf Paul. Moi je n'étais, et ne suis toujours, que le suiveur, comme « aux lumières », celui qui suit le danseur, faisceau éblouissant, je riais de bon cœur, c'est de ma race et ma trace. Je mourrai certainement avec une mélodie au bout des doigts. Après la visite du musée d'Héraklion, toutes les filles s'étaient peint les ongles des doigts de pieds en blanc, comme sur les processions des fresques, Suzy, Kathia, Yoshi qui suivra David de compagnie en compagnie pendant plus de sept ans, Anna, et Kiki, la plus grande, qui se créait une robe chaque jour, drapant des mousselines multicolores, toujours en proue du groupe, voiles au vent, petit côté Isadora Duncan. Même les garçons s'étaient peint les ongles, même moi. Tous sauf Paul, qui avait peur des photographes et tenait à l'idée souveraine et définitive qu'il se faisait de ses chorégraphies somme toute néoclassiques, plaisantes, très en faveur d'un public tarabusté par toutes sortes d'excès esthétiques, « l'esthétique négative des années 70 », disait David. Sur le passage de Kiki, et nous derrière, pieds nus, une brochette de vieilles filles, employées des postes belges qui avaient gagné le gros lot avec un billet acheté en commun et s'offraient le voyage de leur vie, faisaient la fine bouche, « elle est vilaine », « elle n'a que des os », « pour qui se prend-elle ? » Nous ne nous imaginions rien que le temps présent de chaque jour. Vivre le bonheur dans une marge, la marginalité dans le bonheur, ce bonheur bateleur, tenancier de tant d'illusions, est en soi une marge, douleur ou douceur, au choix.

David n'avait d'yeux que pour les marins du paquebot. Éric, Léo, Giorgio et les autres danseurs le rappelaient à l'ordre, « Mamma ! regarde devant toi ! » A Rhodes, escale pour la journée, David nous abandonna, « je veux aller seul ». « Alors, ciao Mamma ! » Dans un des taxis qui conduisaient le reste de la troupe à Lindos, Kiki se prostra en hurlant à l'arrière de la voiture parce qu'il était annoncé que nous traversions *la vallée des Papillons, Butterflies Valley.* Les danseuses ont peur des papillons. A Lindos, en haut du village, vestiges d'un temple suspendu entre ciel et mer, je me tins à l'écart, promontoire, l'impression était si pure que David me manquait. Je ressentis comme un sentiment qui eût pu devenir de la jalousie si l'enfance ne m'avait roué, si l'adolescence ne m'avait donné des projets, si ? Voilà pour régaler les autres. Paul s'approcha de moi, « tu supportes ça ? Tu acceptes tout ? » Je me tus. Il insista, « tu vas me dire qu'il est libre et toi aussi ». Comme je me mis à sourire, ce sourire qui masque une peine réelle qu'on ne veut pas considérer comme telle, il se fâcha, « David est le meilleur mais il ne sera jamais un grand danseur, à cause de toi, tu l'uses et il t'abuse. Un grand danseur doit souffrir ». Kathia et Ryszard venaient d'improviser un pas de deux. Les touristes photographiaient. Paul me frôla l'épaule d'un geste qui eût pu être tendre s'il ne l'avait pas eu et retenu à la fois, « je n'ai rien dit ».

De retour, quand nous arrivâmes au port de Rhodes, il faisait nuit. Les bateaux étaient illuminés. Une foule de marins déambulait sur le port.

Nous remontâmes à bord de l'*Apollo VII*, David manquait à l'appel. Nous nous mîmes à crier, « Mamma ! », « Mamma, andiamo ! », « Schnell, Mamma ! » Le commandant de bord et ses officiers commençaient à s'impatienter. Déjà les passagers soupaient. Le paquebot aurait dû lever l'ancre depuis une heure quand, aux grilles du quai, David surgit en courant suivi de plusieurs garçons en motos et en scooters, d'autres couraient aussi, tous riaient, un jeu. Mais la chemise de David était déchirée et son pantalon blanc taché de cambouis. « Mamma ! », « Mamma ! » Il grimpa la passerelle qui fut de suite levée, plantant net un attroupement. Quand le paquebot quitta le port, des voix se levèrent dans la nuit de tous côtés, venant des bateaux, des cargos, des quais, des voix qui criaient « Mamma ! », « Mamma ! » et riaient en même temps. Il y eut aussi des « agapimou » et des « aspro colo ». « Ça veut dire quoi ? » demanda Kiki, « je t'aime et cul blanc », répondit David. « Tu as dansé nu ? » « Eux aussi. » David haussa les épaules. La nuit était chaude. Plus le paquebot allait vers le large, plus la clameur devenait lointaine, un vent tournoyait, le vent d'avant le *meltémi*, vent du nord, vent fou, vent glacial. Kathia criait « Mamma ! », et le port au loin faisait encore écho. « Rentrons. »

Air climatisé, moquette bleue, cuivres rutilants, nous passâmes directement à la salle à manger. Les filles cachaient David et son pantalon sale.

David s'assit au bout de la table et m'envoya une bise, du bout des doigts. Tout le monde essaya de l'attraper mais elle me parvint. Elle est là, dans ma main gauche. Je la tiens encore. J'y tiens. Je note : le sentimental est répressif, le sentiment est offensif. Je serre le poing gauche. Je viens même de donner des coups de poing sur le bureau. Ce texte infirmier, serviteur, valet, doit exprimer l'offense. De retour à Athènes, Paul annoncera à David qu'il ne le garderait pas pour la saison suivante, « ou alors, tu quittes Roch ». Nous partîmes le jour même avec Yoshi. Huit jours plus tard David et elle passaient une audition à Londres. Engagés.

David vient de m'appeler. Il m'a glissé trois choses à l'oreille. La première, « plus tard, je dirai que ce que nous vivons maintenant, c'étaient les plus beaux jours de ma vie ». La deuxième, « si tu nous écris, change souvent le chevalet de place. Prends du recul. Tu me le liras ? » La troisième, « raconte et fais qu'en toi se reconnaisse chaque homme », coda, variation, refrain, que le texte fredonne et frissonne.

Cinquième jour

Ne plus penser à rien? Être là? L'épicier a dit, « on ne le voit plus, votre chum, il est en tournée? » et, devant les paquets de lessive, « vous lavez le linge du quartier? » Il fait gris. On entend vrombir les avions dans le ciel. Si un couple s'embrasse au coin de la rue, lui en bermuda et baskets, elle en jogging blanc, on se dit que c'est un peu ridicule parce que le soleil n'est pas de la partie. Je conserve un mauvais souvenir de Londres. Il y faisait froid. Les êtres humains y sont, plus que partout ailleurs, fines fleurs, des figurants d'êtres humains. David n'y apprenait rien. Yoshi était éprise de lui, comment savoir avec une jeune Japonaise qui éclate de rire en fondant en sanglots, ou invariablement, pendant des mois, se montre présente, rieuse juste ce qu'il faut, appartenant à son propre secret? Yoshi voulait un enfant de David. Comme ça, un enfant à elle seule, avant de devenir trop vieille. Sa constance la trahissait. Elle avait décidé que David serait le père. Ses silences la débusquaient. Cela nous amusait. David aimait danser avec elle, « une plume, elle s'envole ». L'épicier a dit, « vous avez mauvaise mine ». Dans la rue, j'ai croisé madame Supercat. Elle a fait semblant de ne pas me voir. Dans la boîte à lettres, j'ai trouvé un mot du docteur K. me demandant de lui donner des nouvelles. C'est fini, coupé. David décide, j'exécute. Comme il dormait encore quand je suis rentré, je suis reparti en bon Sganarelle avec deux cabas. J'ai pris un taxi et me suis rendu au marché Sainte-Catherine, pour acheter des fines herbes, des œufs de ferme et des fruits exotiques. Ce soir, je dresserai la table de la cuisine, je ferai comme une petite fête. Il y a deux ans aujourd'hui, David renonçait à la danse, épuisé. Nous étions à Paris, les résultats des analyses étaient formels et il venait d'être refusé à une sélection de chorus boys pour le spectacle du Lido : trop vieux.

J'ai une carte de David, envoyée l'an II de nous, de Moscou, le mausolée de Lénine et derrière, « nous, danseurs, ne sommes que des météores éblouissants. Des années d'apprentissage, ça fuse puis, très vite, c'est l'ombre, arrête-moi avant l'ombre, organise mon évasion, tibi, D. », et une autre carte plus récente, an XIII ou XIV de nous, Lisbonne, un intérieur d'église baroque et derrière, « il pleut sans arrêt. L'averse semble maille à maille tisser la terre avec le ciel. Quand nous dormons ensemble, tu me hisses. A plus. D. »

Cinquième jour : j'ai fait un rêve et, comme le jour se levait, je l'ai oublié. Ne me reste qu'une impression, la douceur de nos corps retrouvés, comme avant, une santé, une ardeur, l'odeur de deux sous les couvertures, le premier à ouvrir l'œil réveillait l'autre en lui touchant du doigt le bout du nez. Le jeu consistait à mordre le doigt. Combien de fois, ensemble, avons-nous fait semblant de dormir encore, pour finalement, les yeux fermés, pouffer de rire? Quand je suivais David en tournée, à chaque étape, à chaque hôtel, il fallait dire, « la chambre avec lit double, s'il vous plaît ». Nous vivions au mois le mois. Je n'avais jamais le droit d'aller en coulisses. Dans la salle, je guettais qui regardait David, et comment. Je mendiais des émerveillements.

La table est mise, le souper est prêt, l'amour déambule, la fidélité est une bien singulière trahison, rien d'idéal à notre lien. « Parle! » disait mon père en se fâchant. Terrifié, je me taisais. « J'attends! » Oubliant ce que j'avais à dire, je bredouillais puis racontais avec aplomb une histoire inventée qui n'avait pas de sens. Mon père m'interrompait, « arrête de faire des boulettes de pain, c'est un péché, viens ici pour la punition ». Je me levais, contournais la table, m'approchais de lui, et il me pinçait fort l'oreille droite en me forçant à me mettre à genoux, à demander pardon. Au seul mot de « pardon », il lâcherait prise, « tu vois bien que tu n'as rien à dire ». Mes huit frères et sœurs, Marleine et Josée sont les deux dernières, mes cadettes, éclataient de rire. Dans ma famille on comptait, 1, 2, 3,

4, 5, 6, 8, 9. Le valet de cœur, ou de pique, a le numéro 7, l'impair et le manquant. David et moi ne faisons plus confiance à personne. La confidence est une arme à double tranchant, on coupe avec, puis on se coupe et on est coupé. C'est foutu, vive la vie, tant mieux. Ce texte d'apartés n'appartiendra à personne, ou à une personne, seule, à chaque fois. Tout est neutralisé par le silence des familles, des sociétés, d'un siècle à sa fin. Ma mère n'avait jamais le temps de se mettre à table avec nous, toujours aux fourneaux ou au lavoir. Mon père avait décidé qu'on ne pouvait pas me parler, qu'on ne pouvait rien me dire. Les familles, ainsi, fabriquent leurs dévoyés. Ça les grandit dans l'image qu'elles se font d'elles-mêmes. Mon père disait également, terrible égalité de son humeur oublieuse, que j'étais le vacher de la famille, cet oiseau noir, luisant, à tête si brune qu'on croirait qu'il a piqué du bec jusqu'au cou dans du purin, et qui va pondre ses œufs dans le nid des autres. Or, le vacher est plus prompt à s'extraire de l'œuf et, sitôt sorti, après avoir été couvé, il fait place nette pour être le seul à se faire nourrir. Il fait tomber les autres œufs et il a tout pour lui. Que croyait donc mon père qui, pour un vacher, sortait prestement son fusil de chasse, « le petit salaud », et pan!, il ne ratait jamais son coup.

On ne me laissa pas avec les autres de la famille et on m'envoya à l'âge de neuf ans dans un collège, pensionnaire. J'y resterai dix ans, enfermé. Le collège était en rase campagne, à mi-chemin du fleuve dont nous n'avions pas le droit de nous approcher et des bois où, paraît-il, il y avait des castors que je n'ai jamais vus, interdiction de flâner. Les bons pères pensaient faire de moi un missionnaire. Jamais ils ne purent gagner ma confiance. Un seul d'entre eux m'émut, pas professeur, un peu rustre, on lui avait confié la sculpture du porche de la chapelle, un Jugement dernier, puis les encadrements des portes latérales, un balustre dans le chœur et les chapiteaux, le travail d'une vie. Quand j'ai quitté le collège, le père Cosimo avait à peine fini le transept. C'est lui qui m'initia au burin, à l'échoppe, à la guilloche, à l'onglette, au marteau, à l'esquisse et au travail de la glaise pour le projet. Neuf étés consécutifs je ne rejoindrai pas mes parents. Le père Cosimo, à ma demande, avait obtenu que je sois son apprenti. Jamais il n'osa m'emmener au bord du fleuve ou dans les bois. Il m'aimait, parce que je me taisais. Parfois il passait sa main rude dans mes cheveux que j'avais bruns et bouclés. Il disait, « je te vois grandir à vue d'œil ». Combien de fois m'a-t-il frôlé?, « c'est l'éveil, disait-il, laisse-toi faire ». Maintenant, j'ai les cheveux noirs. L'encre est bleue, le bleu du ciel de Lindos, malgré tout.

Le premier matin, avenue Coloniale, dans la cuisine où nous allons souper ce soir, nous prenions le café, David m'a parlé d'Alexandrie, de Naples, de Vienne, de Copenhague. « Et toi? » « Moi? » Je lui ai raconté l'histoire du collège, du fleuve, des bois et il m'a dit, « tu es toujours enfermé dans ce collège, je vais t'en sortir ». Nous nous sommes tapés dans la main droite, un pacte. Mon Pierrot perdu appelle, il geint désormais, c'est lui, toujours lui, rien que lui. La vie, si nous ne l'avions pas, nous manquerait. Où sont les miens, les obtus, ceux des origines ? Cosimo a-t-il achevé son travail ? Il ne savait même pas écrire, « je t'écrirai en pensée ». Ce n'est pas comme ça que j'avais imaginé mes adieux au collège pour entrer dans le cirque du monde. Nous devons éternellement rester graves pour ne pas être sauvages. Enfin, dehors, dans la ville, par la sculpture d'abord, par David ensuite, j'ai trouvé qui je fus, qui je suis, qui je demeure. Je vis le rêve d'une maison, et dans la maison quelqu'un qui dort dans la pièce voisine. J'assiste à notre vie comme à un film qui se termine. Je note les dialogues. Ce n'est plus un film, c'est notre vie. « Parle », disait mon père en se fâchant. Je parle maintenant, merci à lui. Je ne sais même plus si j'ai pris mes médicaments. Je les prends, moi. « Ton T4 est alarmant », a dit le docteur K. lors du plus récent contrôle. Il savait que David, en mon absence, je servais de cobaye, avait tenté de se supprimer, et il me le cachait. « Pour ton bien », expliquera-t-il.

Il faut que je sois là quand David quittera la scène, après les applaudissements. Et maintenant ? Maintenant ? David appelle. J'ai répondu, « je viens », comme il m'est si souvent arrivé de dire, « je vais jouir ».

Le souper des rois

La table est mise pour deux, j'ai allumé une bougie. « Tu as effacé les messages du répondeur automatique? » Je fais signe que oui. David arrive à peine à se tenir sur la chaise où je l'ai assis, « je veux réapprendre à marcher, un pas de plus chaque jour », il sourit, « un pas de plus, un pas de moins, c'est le compte à rebours ». Je pose devant lui son assiette. Ça sent bon les fines herbes, « pour un peu j'aurais faim, ça t'ennuie si je regarde sans manger, humer suffit, je prendrai un peu de fromage, un bol de riz ». Il bredouille comme je bredouillais devant mon père quand j'avais oublié l'histoire première. Je comprends tout ce qu'il me dit, « mange, toi, je veux te voir manger ». Il y eut un silence. La nuit tombait. David souffla la bougie, « ça me fait loucher, j'ai la tête qui tourne ». Dans l'ombre il me tendit son bras droit au-dessus de la table et du doigt me toucha le bout du nez en souriant. Son bras retomba lourdement sur la table, son verre d'eau se renversa. David s'écroula, le front dans son assiette, évanoui. Dès que je l'ai pris dans mes bras, il a rouvert les yeux, « faut que je sois propre jusqu'au bout ».

Je l'ai d'abord assis dans les toilettes en lui tenant les mains, accroupi devant lui, « ne me regarde pas comme ça, mon Roch ». En prononçant mon prénom il s'est mis à tousser, longues quintes, j'ai attrapé du papier toilette pour lui essuyer les lèvres. J'ai pensé, « qui me soutiendra quand ce sera mon tour ? » David murmura, « merci » et cela lui donna le hoquet. Je l'ai ensuite porté sur le tabouret de la salle de bain, photos épinglées au mur, David faisant une sissone, David faisant une pirouette, David saluant avec Yoshi, David faisant un soubresaut cambré, un tour en l'air, flou artistique, un grand jeté, parfaite netteté, autant de souvenirs, autant d'étapes.

De tous les chorégraphes, Paul, Martha, Alwyn et tant d'autres, il disait, « encore une catastrophe baroque, mélancolie d'une modernité fascinée par le rien ».

Je l'ai débarbouillé et j'ai respiré en même temps que lui, très fort, le regardant droit dans les yeux pour lui indiquer le rythme, faire cesser le hoquet. Ensuite je l'ai couché, je l'ai nourri, une cuillerée de riz pour lui, une cuillerée de riz pour moi, une bouchée de fromage pour lui, une bouchée de fromage pour moi. Le docteur K. le jour du retour de David m'a dit, « la dépression n'est qu'une ivresse spirituelle ». Je suis allé chercher deux verres d'eau à la cuisine. J'aurais voulu pouvoir pleurer. Je me disais, « ça ne se peut pas, pourtant, cette histoire, je suis en plein dedans, je suis en train de la vivre ». David et moi avons trinqué. Il a bu à petites gorgées. « Tu te souviens de Tanah-Lot, a-t-il dit, le rayon vert, nous l'avons vu ensemble, nous avons fait un vœu, dis. » Nous avons trinqué à nouveau. Qu'est-ce qui nous pousse encore à désirer savoir de quoi demain sera fait? Cosimo m'a dit un jour en essuyant mon ventre nu avec un chiffon rugueux, ferveur et réjouissance, « aie confiance en la liberté. Elle n'est pas un ennemi caché mais une belle aventure ». Il y a deux mois, sur le conseil du docteur K., T4 en chute libre, hypothèse de mycoplasmes, j'ai accepté de me rendre à Paris pour suivre un traitement d'essai au département de virologie de l'Institut Pasteur. « Toi, tu vas t'en tirer », m'a dit David sur le départ, j'avais insisté pour qu'il ne m'accompagnât pas à l'aéroport, « tu feras un beau sculpteur octogénaire, on organisera même une rétrospective de ton œuvre. Tu auras une belle barbe blanche. Les petits-enfants de ta sœur Josée te rendront visite le dimanche ». Il riait, tant il avait de la peur, « pars, pars vite, je serai sage en ton absence, promis, juré, craché », et il avait craché sur le palier.

Le docteur K. devait passer chaque jour. Le septième jour, il donnera l'alerte, pas de réponse, porte défoncée, et mon David, dans le coma, assis au bureau, comme moi maintenant, même fauteuil. Chaque texte, s'il parle, se tient au seuil de la folie, je tiendrai. « Contre toute attente tenir, sculpter, danser », disait David aux jours fastes. Un texte, comme un corps, n'a de beauté que si l'on y revient et s'étonne toujours.

Avenue Coloniale, notre « point de chute » depuis vingt ans, j'ai dans un carton à chaussons de danse un trésor de messages. Il y a aussi ces lettres que David m'a écrites de l'Hôtel-Dieu où on l'avait transporté d'urgence, qu'il m'a remises à mon retour de Paris-Pasteur en m'annonçant qu'il souhaitait tout arrêter et s'en aller « en douceur ». Ces messages, je vais les lire pour la première fois en les transcrivant. Faut-il donc passer à la ligne, entre chaque lettre, pour que tout soit plus clair et s'ordonne? De quel ordre s'agit-il? Ici, le fleuve de deux l'emportera, remous et tourbillons, sur les rigueurs mensongères et les bonnes manières. Qui a semé la terreur jusqu'au mal qui nous tient? Nous ou nos proches?

Lettre n° 1. Mon Roch. Samedi soir, 21 h 50, je t'écris de l'hôpital, cet hôtel dont Dieu est le gérant, que l'on nomme Hôtel-Dieu, où l'on m'a transporté d'urgence il y a un peu plus de deux semaines. J'avais choisi de te quitter proprement, comme s'il pouvait y avoir du propre dans un départ, et ne jamais revenir dans les couloirs de ces grands établissements où l'on sauve, diagnostique, soigne, non, j'arrête, tout me glace, à chaque mot j'étouffe. Se suicider, réaliser un rêve tout droit venu de l'enfance. C'est la faute à Oswyn. C'est la faute à Rachel, Ruth & Leïla.

Lettre n° 2. Mon Roch. Hôtel-Dieu, chambre 1326, mardi 29, 19 heures, un peu de ferveur, c'est dur un texte, on s'y brûle les ailes sans même s'en rendre compte, la musique l'emporte sur la chorégraphie des mots. Ce que je retiens de plus beau, de nous deux, est ordinaire : les disgrâces, les défauts, les manquements, les menues intolérances, tout ce qui, autant que le remarquable, l'épatant, le splendide, nous a unis. Comment ai-je pu penser que je pouvais te quitter sans laisser d'adresse? Je peine ici à venir à l'essentiel de ce que j'ai à te dire. Je suis prisonnier de ce que Paul appelait la composition en orbite, le désordre des diagonales. Il avait le sens des rhapsodies gestuelles, des ballets allusifs et poignants, et une trop forte idée de lui-même. Le sentiment exprimé, il n'y avait, dans ce qu'il nous faisait danser, plus d'argument logique, pas de sens obligatoire mais tous les sens, le sens libre que chacun donnait à l'œuvre. Ici à t'écrire, je suis en orbite, je me perds en diagonales. Tout m'interdit de t'écrire ce que j'ai simplement à te dire. Le goût de ta bouche me manque, l'odeur de tes aisselles et celle de ta nuque quand, après une jouissance, j'allais y nicher mon nez, ça sentait la paille des matelas de ton collège.

Lettre nº 3. Mon Roch. Mercredi 30 mai, 16 heures, l'infirmière qui vient de me changer de côté pour la perfusion a essayé de piquer trois fois dans mon bras gauche, « vous avez les veines fuyantes », disait-elle. Elle a finalement placé l'aiguille dans l'avant-bras droit, le bras au bout duquel il y a la main qui tient le crayon qui essaie vainement d'écrire cette lettre qui ne sera donc qu'une suite d'ébauches. Sur la porte de la chambre 1326, vue imprenable sur le jardin des bonnes sœurs qui regorge de fleurs, il y a une pancarte avec la mention, *précaution pour le sang et les liquides biologiques.* La pancarte est rouge sombre. Elle signale le mal en cours. Tout le monde met des gants pour s'approcher de moi, c'est normal, terrifiant, cela désigne, cela campe, cela parque. Quand on me met sur un fauteuil, quand un brancardier m'emmène pour tel ou tel examen, dédale de couloirs, d'ascenseurs, de souterrains, immense ville dans la ville, je vois la même pancarte à certaines portes, j'entrevois d'autres misères, souffrances, horreurs, et je serre contre moi un dossier qui a pour mentions *HIV plus* et *danger d'infection.* Oui, j'ai voulu partir, quitter la scène en ton absence. Et je me suis raté. Il faut croire que je ne pouvais pas saluer le monde sans te dire au revoir. Tu reviens dans quelques jours. Je veux rentrer chez toi, chez moi, chez nous, avenue Coloniale, le « point de chute ». Je veux cesser le traitement et m'en aller sous ton regard. Avenue Coloniale, il n'y a pas de plaque sur la porte. Il n'y a que notre désir, infiniment, avec la charge des souvenirs. Viens vite me reprendre. Le bonheur des autres importe, mais il ne faut pas interroger, à peine suggérer, un condamné à vivre qui s'échappe te l'écrit. La tête me tourne. Stop.

Lettre nº 4. Hôtel-Dieu, mercredi 30 mai, 19 h 45 à la montre que tu m'as offerte pour nos dix ans de *vie de deux.* Mon Roch, je reviens à l'assaut de cette lettre. Je ne veux pas que l'on me plaigne, je ne veux pas non plus que l'on m'agresse. Je veux la fougue et la sérénité de nos baisers quand ils n'étaient pas prévus, chacun alors surprenait l'autre. La chambre 1326, 13 et deux fois 13, donne sur un large couloir. Au centre il y a le bureau des infirmières et une rotonde ornée de plantes vertes, une grande banquette en cuir jaune entre deux colonnes, et sous la verdure, côté bow-window, des fauteuils de skaï, des revues abandonnées, des cendriers regorgeants de mégots : là on a le droit de fumer. Pour le plaisir d'une cigarette, celui aussi de penser à ton retour, « comment as-tu pu me faire ça, à moi, tu n'avais pas le droit », je t'entends déjà me le dire, je me rends dans le salon, je fais durer une cigarette. Il y a la Reine des Migraines, en kimono japonais chamarré, sous la plus grande plante verte. Elle fume voluptueusement. Elle a une voix grave et lente. C'est la star. Elle se penche régulièrement et remonte ses bas en répétant, « ah, mes bas ! » Elle a un régulateur cardiaque sur la poitrine, « ça me gratte, et vous, d'où venez-vous? » Je ne réponds pas. Il y a monsieur Cambouis, représentant en graisses industrielles, « ils ne voulaient plus de moi dans les hôtels parce que je laissais des taches partout, et vous, que faites-vous dans la vie? » Il porte des chaussures blanches et place ses pieds comme la reine Elisabeth au derby d'Epsom. Il y a Baie James qui est tombé d'un tracteur, drôlement cogné, guilleret, « c'est beau, Montréal, il y a des autoroutes partout, je l'ai vu en venant de l'aéroport, elles se chevauchent. Chez moi, il n'y a que la Transcanadienne, plate, un bout d'asphalte, vous êtes de Montréal? » Je réponds oui. Il regarde Cambouis et Migraines, « il est d'ici, je vous l'avais dit ». Sur son fauteuil roulant un vieil ingénieur maugrée. Sa femme va continuellement lui chercher du café. Sa mère pioche dans les revues. Elle porte un collant rose et un tee-shirt *Beverly Hills* avec décoration de strass. Elle se moule, elle est boudinée, elle prend des airs, elle est la mère d'un fils. La bru, robe vichy à festons, revient avec les cafés. Il y a une vieille dame noire bouche bée, ébahie, à qui personne ne parle. Le temps d'une cigarette et je rentre chambre 1326, je t'attends. Les douleurs dansent la nuit. Tu me vas comme un pyjama, une camisole, disait-on chez toi quand tu étais petit. Tu es ma camisole de force. A deux, on peut lutter contre les injustices, y compris la pire, celle qui vous fait croire que vous n'êtes pas comme les autres.

Lettre nº 5. Jeudi, 23 h 30, je ne dors pas. Je rentre demain midi. Tu rentres demain soir. Tu prends le relais. « C'est toi ? » dit Carmen. « Oui, c'est moi », répond don José. C'est la fin. Aide-moi à franchir le gué. « Carmen ?, Carmen ?, je t'aime, je t'adore. » Je te remettrai ces ébauches de lettres demain. Notre amour inaugure. Les autres ne pensent qu'à la débauche. Le sujet, c'est ce hiatus et les oiseaux de mauvais augure. Ton David.

Si tôt le matin, sixième jour

Des amis que nous avons dans la ville, il ne sera pas fait mention. Du docteur K., ami, nous tairons le nom, le réduisant à une fonction, un savoir, le bienveillant anonymat seyant au spécialiste qui ne peut plus rien quand tout concourt à une double perte. Les cas des solitaires, des abandonnés par les leurs, proches ou familles, l'accaparent déjà amplement. Rude docteur K., qui voudrait crier le mal qui fait sa foi et son emploi, dénoncer l'empire des malentendus et des rivalités à ce sujet, mal rendu banal par tant d'informations. Les grandes villes ont le privilège des mouroirs où se recréent des réseaux, des liens, des ghettos, un humour. « Oh, les copines », nous lançait un certain Martin quand nous rendions visite à Harold à l'hôpital Notre-Dame, « toujours à nettoyer votre argenterie ? » Ou bien, s'adressant à Susan qui avait suivi avec Harold les cours de David, « et toi ? t'es aux garçons ou aux filles ? » Même les infirmières étaient interpellées. Dans chaque chambre, chacun recomposait un petit décor. Il y avait eu également la mort de Gabrielle, un autre professeur de l'école, elle avait vécu des années avec un Haïtien qui lui-même s'en était allé, fauché, les poumons. Les infirmières à l'époque s'insurgeaient contre les risques de contamination. Gabrielle était atteinte au cerveau, « ne venez plus, je vous le demande, j'ai besoin de fixer mon regard au plafond, cela me calme. Et vous me faites peur, vous aussi, non, ne m'annoncez rien ». Si tôt le matin, on fait les comptes. Il y a des coupes franches dans les agendas si on y regarde d'un peu près, un vent d'hécatombe. Si tôt le matin, on entend piailler les oiseaux. J'irai sur le balcon leur jeter des graines. Derrière la porte vitrée voisine, Supercat miaulera, toujours aux aguets celui-là. Si tôt le matin, on se dit que la lucidité est une exigence, que la notion de responsabilité est première, qu'*être mort*, comme disait un pape philosophe du rien, *c'est être en proie aux vivants*, on se dit que l'on ne devrait plus rien dire et, malgré tout, on persiste et signe parce que l'on a vécu la ferveur d'être deux, deux amoureux, tant de temps, dédaignant les autres. En ce siècle à sa fin, qui s'arrête à l'Histoire, l'histoire majuscule, il faut prendre le risque du désespoir et de son couperet, on se guillotinerait volontiers pour les événements d'un seul jour.

Et si l'autre est là, un David, on tient le coup, on se déchire, on s'embusque, on se guette, on se traque, on se respire, importent alors si peu les hauts et les bas, le meilleur et le pire, on se tient et on se retient. Ces derniers jours avec David sont les plus doux de tous ceux que nous avons vécus ensemble. David ne pouvait pas mourir en mon absence. Si tôt le matin, les sentiments fusent, les idées agressent puis s'estompent, effacées par les confusions qu'elles créent. Si tôt le matin, je suis allé voir mon dormeur du val, je me suis dit que je crèverai à mon tour en pensant que je n'ai rien fait de bon, même pas nous, et que je glisserai hors du monde sans même l'avoir égratigné, lui. Parfois nous étions séparés, soit que je n'avais plus assez d'argent pour le suivre, soit qu'il était si peu payé que nous ne pouvions plus faire face aux frais, soit enfin que Merce par exemple, ou Helge, ait stipulé sur le contrat que je ne devais pas voyager avec la troupe, revanche?, bouderie?, jalousie?, l'envie de danser pour David était plus forte que notre force d'être deux et l'emportait, je saluais à ma manière, je recevais alors ces cartes, ces messages, ces lettres que je conserve dans le carton de chaussons de danse, trésor de nous, dans lequel je pioche au hasard les paroles de l'aimé. Ainsi, cette photo de lui avec Yoshi, Ann, et les deux jumeaux finlandais, Jon et Mika. Ils posent, pitreries, sur l'escalier qui conduit au Teatro Colón de Buenos Aires. Derrière, David a écrit, *tu vois, tout le monde est là. Sauf toi, bien sûr. Mais ce n'est pas grave. On dira que c'est toi qui as pris la photo.* Ainsi, cette autre carte adressée de Vienne, portrait de Richard Strauss, David venait d'assister à une représentation de *Salomé* et me citait Hérode répondant à la belle qui lui réclame la tête d'Iokanaan, *moi, j'ai des chrysolithes et des béryls, j'ai des chrysoprases et des rubis. J'ai des sardonyx et des hyacinthes, et des calcédoines. Je vous les donnerai tous, mais tous, et j'ajouterai d'autres choses. J'ai un cristal qu'il n'est pas permis aux femmes de voir.* Il répétait la dernière phrase en allemand, *ich habe einen Kristall, in den zu schau'n keinem Weibe vergönnt ist*, phrase dont je ne chercherai jamais à comprendre le sens. Quelle était donc la langue maternelle de David? Rachel parlait sept langues sans compter l'hébreu. Entre nous, David et moi parlions le français, le français francophone de l'avenue Coloniale, il disait, « c'est ma langue fraternelle ».

De lui, en vrac, d'autres messages, il geint, il faut que j'aille changer la compresse d'eau glacée sur son front, *plus je te vis, plus je vibre, plus je voyage, plus je vois des gens, plus j'ai conscience de nos privilèges et de notre égoïsme*, ou encore, échec d'un spectacle à Paris, *le marché de l'art ne sera jamais le marché de l'émotion*, ou enfin, *le monde entier tremble d'avoir tout voulu comprendre, et sait le mal qu'il s'est ainsi infligé. Je te caresse en pensée. Voilà pour atténuer un peu.* Mission accomplie. Je suis resté assis sur le rebord du lit près d'une heure. J'en ai profité pour lui couper et limer finement les ongles des mains, ce qu'il aimait que je lui fisse, non par coquetterie, mais, disait-il, « du dernier rang du dernier balcon ça se voit. Le geste se doit d'être infini ». J'ai secoué la serviette avec les bouts d'ongles au-dessus de la cour. Supercat m'observait de la terrasse. Les lilas sont en fleur. J'ai changé la compresse, eau glacée dans l'évier. J'ai mal aux mains aussi. L'arthrite reprend et cette douleur dans le dos, au niveau de l'omoplate, au lieu exact du dernier zona. L'amour nous ronge. Ce texte dévore douleurs et malentendus. Les petits cochons de toutes les familles crèvent dans leur coin. Ou à l'hôpital s'ils sont seuls. De David encore, *les émotions comme les gratitudes nous mettent mal à l'aise. Voilà pour nous rapprocher au royaume des reproches de ce que nous sommes l'un pour l'autre. Je te gobe en pensée, comme les œufs des perdrix dans un certain jardin d'Alexandrie. Oswyn me donnait des coups parce que j'étais blond, « parce que tu es juif », disait ma mère, « quoi maman? » Jamais nous n'achèverons notre puzzle.*

Parfois, je me dis que le mal s'est développé parce que David et moi n'en pouvions plus de nous désirer l'un autant que l'autre, l'un dans l'autre, l'un par l'autre. Ce mal tue peut-être moins que d'autres, mais il touche l'être dans ce qu'il a de plus conscient et de plus intime quand il se dédouble en amour. De David, *nous ne serons jamais assez grands pour notre liberté.* De David, *tu es ma mauvaise conscience et je te croque.* De David, *notre génération s'est perdue dans l'ambi-*

guïté et le tapage. Entre l'ordre et le désordre, tu m'as tenu debout. Si tôt le matin, il faut que je descende les vidanges, les sacs attendent noués, entassés dans la cuisine. C'est mardi. Les camions de la municipalité passeront entre huit heures et dix heures. Si tôt le matin, une horloge n'a que l'heure exacte qu'on lui met. Nous n'appartenons plus au temps. Je viens pourtant de me le rappeler, c'est mardi. Le jour du ramassage des déchets. Je vais aussi faire du repassage avant les heures chaudes de la journée. L'odeur de linge propre réveillera mon bel endormi.

Les treize vœux d'Akira

Il m'a fallu deux heures pour lire à David, à sa demande, les premiers chapitres. Je l'avais installé dans le large fauteuil en rotin, ce fauteuil qui n'a jamais servi à rien qu'à remplir l'espace de l'atelier et à nous rappeler Rangoon, Colombo, Djakarta, Mangalore, Surat, Lahore, Bénarès. Dès que nous avions quelques piastres de trop et un temps de vacances, nous allions là-bas, vêtus de coton blanc, sandales de cuir et bandeaux au front pour retenir la sueur.

David s'est tenu assis, bien droit, les mains sur les accoudoirs, calé par des coussins de chaque côté et moi devant lui, sur un tabouret, le manuscrit sur ses genoux. Parfois, en lisant, je levais la tête, il me disait, « continue ». Quand j'eus achevé, je n'osais plus le regarder, comme si le dernier chapitre, le précédent, avait été un égarement. Il y eut un silence. Sifflement, David essaya de respirer par le nez. Puis je l'entendis prendre une respiration par la bouche, un « bol d'air », comme disait ma mère quand elle voulait qu'on se souvînt qu'elle était originaire des pays de la Loire, le beau parler et son respir. David murmura, « c'est trop beau pour être faux » et, « tu as oublié l'humour, notre humour de tous les jours, exemple, moi demandant, qui sont les invités et qui sont les évités?, d'autres détails comme celui-là. L'essentiel ». Il rit, toussa, porta une main à sa bouche, chavira. J'ai relevé la tête, nous nous sommes regardés dans les yeux, un horizon en cache un autre. Il voulait sourire cette fois et ne pouvait même plus. Je le plaquai par les épaules contre le dossier du fauteuil. Les feuillets du manuscrit tombèrent de ses genoux, feuillets épars, « tu les as numérotés? » Il dit encore, « tu as oublié l'humeur, ta mauvaise humeur, ma peur, ma fascination, ton obstination, mon bonheur. Tu as oublié Aki. Tu me fais mal ». J'ai retiré mes mains de ses épaules. Il s'est cassé en deux, sur moi, évanoui. Je l'ai porté au lit. Il a rouvert les yeux. Il a voulu me caresser le front mais sa main est retombée sur le drap. Allais-je appeler le docteur K.? Je ne sais pas ce qui me prit de dire, « ce sera un roman de mille et une pages, David, un roman infini ». Sa main attrapa la main sur laquelle je prenais appui. Je me suis redressé. Péniblement, en tremblant, son effort, il porta ma main à ses lèvres, « continue, merci ».

Les bons pères du collège savaient lire et écrire, eux. Cosimo n'avait pour lui que son savoir-sculpter, son vouloir-figurer dans la pierre et sa mémoire. Il me confiait souvent, litote, « en chacun de nous, une sorte de long monologue intérieur se poursuit toute la vie. On ne peut l'interrompre, pas plus qu'on ne peut arrêter la pensée ». Il me parlait alors du pays, du fleuve, de l'île, de Rivière-du-Loup où il était né et précisait, « tôt ou tard, le pays sortira lui aussi du collège parce qu'il a l'esprit libre. Tu es mon fils, laisse-toi faire, ici nul ne viendra nous surprendre ».

Yoshi nous quitta après Londres. J'étais allé passer trois jours à Kassel, foire d'art où un fou m'exposait, David lui-même imitait son accent, « cheu feurai de fous un artiste kaunû danz le Welt entier ». Les gens passaient devant mes sculptures et ne les regardaient pas. Il y en eut deux de vendues, l'une pour Cincinnati, l'autre pour Anvers, des particuliers, même pas de quoi payer le stand d'exposition, « fous mé comprainièze mon ami Roch ? », il prononçait Roche, avec un *e* muet. En mon absence, Yoshi put accomplir son vœu. Tout concordait.

David entrera seul dans la troupe du jeune Nord-Américain Mark, six mois de répétition puis une tournée que les critiques qualifiaient de triomphale. « C'est du toc », disait David, toujours exigeant, jamais satisfait, « de la poudre aux yeux, un collage, et nous, que sommes-nous d'autre, après tout ? » Entre Mexico City et Bogota, nous eûmes trois jours pour nous échapper. Nous allâmes au

Paradise Inn d'Ocho Rios, sur la côte nord de la Jamaïque. David me cachait un compte à rebours que je faisais également de mon côté. Un après-midi, après la sieste, nous allions descendre à la plage, j'avais déjà préparé le sac avec l'appareil photo, les serviettes, les produits pour bronzer, les bobs pour éviter les insolations, un orage se préparait, David me dit, « je veux que ce soit un garçon ». Il me pointa du doigt sur le nez, « c'est un garçon ! » Et il demanda un numéro de téléphone longue distance à la téléphoniste du Paradise. Tokyo. Yoshi. David me tendit l'écouteur. Le bébé était né treize jours auparavant, un garçon. « Comment s'appelle-t-il? » Yoshi eut un petit rire, « à toi de choisir, Kaizo, Jinta, Hiroshi, Hido, Toshiaki, Osuma, Akira, Naozumi, Toyotomi, Tora-San, Tetsuo, Wataru, Kasuo, Shohu, Takashi, Yasuko, Marioki, Toru, Kikyu ? », un jeu, David l'interrompit, « je veux qu'il s'appelle Akira ». Yoshi éclata de rire, « c'est le nom que je lui ai donné. Cela veut dire clarté. Ma clarté. Il est à moi ». Elle répéta, « rien qu'à moi, même s'il a tes yeux. Surtout s'il a tes doigts ». Puis, « je vais ouvrir un cours de danse. Je pourrai ne m'occuper que d'Aki. Il sera mon premier élève. Dis-le à Roch : je l'ai déclaré de père inconnu. Tu m'es inconnu, David, c'est très bien ainsi, merci ». David murmura, « je vais t'écrire ».

L'orage tournoyait au-dessus de la mer, comme un goulot de nuages gris, presque noirs, à droite, à gauche, le ciel bleu, on eût pu croire à un petit ouragan, David me suggéra de préparer l'appareil photo. Dans le sable mouillé, à la limite des vagues qui montaient à l'assaut, vagues de bronze, écume terreuse, la mer se fâchait, il dessina un immense cœur, dans lequel il écrivit du bout du pied gauche, *pour Akira qui a treize jours aujourd'hui.* Il alla chercher treize galets pour marquer le dessin en contour et me demanda de le prendre en photo devant l'œuvre accomplie et son message. Il se tenait tête baissée, en salut, les pieds à l'équerre, les bras le long du corps, les paumes des mains tournées vers l'objectif, offertoire. David m'ordonna alors, instantanés, de le photographier à chacun des treize lancers de pierre dans la mer, « à chaque fois je ferai un vœu ». Quand il n'y eut plus que le tracé du cœur sur le sable, les vagues déjà effaçaient le message, je pris l'ultime photo, la quinzième, même position de David mais cette fois il levait la tête en criant « Akira ! » Ce fut donc l'hommage du père inconnu à son fils.

Nous avons posté le tout de Bogota. Yoshi répondit, *et toi tu n'auras de photo de lui que le jour de ses sept ans.* Nous avons trouvé la photo avenue Coloniale de retour de Paris, il y a quatre ans, quand tout était annoncé, fini, rompu pour nous deux. Aki, petit nom d'Akira, pose en costume de collégien, tunique de soldat, col Mao. Il est blond. Il porte un bandeau sur l'œil gauche. Un mot de Yoshi explique, *je lui ai fait commencer les arts martiaux trop tôt. Un petit Anglais de l'ambassade, jaloux, l'a frappé. Plus tard il aura un œil de verre et il dansera. L'œil droit est parfait.* Un œil bleu, « le bleu d'Alexandrie », murmurera David. « Et les treize vœux? » lui demanderai-je. « C'est son secret », répondra David. La photo est dans un cadre que j'ai sculpté dans le bois du pays d'ici. J'ai posé le cadre sur la table de chevet, près du lit. A son éveil, David saura que je viens d'écrire Akira. Ce texte ne peut vivre que si je lui assigne des objectifs démesurés, voire impossibles à atteindre. Or, tout est à portée de mémoire.

L'orage, ce jour-là, sur la plage, éclata juste après les photos. Le ciel se déchira, immense poche d'eau. « Aki ! » criait David en levant les bras dans la pluie battante. Il buvait le ciel. Fin du septième jour, mission inaccomplie.

Mayflower Hotel, chambre 555

Après Bogota, Caracas, Rio, Buenos Aires, il y eut la consécration de New York, des représentations à guichets fermés du même spectacle pendant six mois. David ne prisait guère ce succès factice et boudait Mark qui faisait la une de tous les magazines, « le toutourien états-unien, disait-il, Mark a même posé pour *Gentlemen Quaterly*, question de fringues pour rien, le fric en plus ». Nous logions sur Central Park West, dans un hôtel à la fois décati et peu onéreux, proche du Lincoln Center, le Mayflower, chambre 555, une petite cuisine-placard, une salle de bains royaume d'insectes en tous genres, et une vaste chambre qui avait le charme d'un sobre mobilier en chêne clair et de deux fenêtres sur le parc.

Dans la troupe, comment la nouvelle s'était-elle répandue?, tous surnommaient David, « Daddy », puis c'était devenu, « Daddy long legs ». Jacques, le Français du groupe, lui avait dit des, « tes yeux se brident » ou, « ce soir, tu étais nippon ni mauvais ». David souffrait aussi de Mark, « avec lui, c'est l'absence totale de projets, comme une mort ». C'était la première fois qu'il prononçait ce mot devant moi. Un article venait de paraître dans le *New York Times* qui annonçait la découverte d'un cancer qui s'attaquait aux « gays ». David m'en avait fait la lecture, tard le soir, nous étions couchés, lumières de chevet, rumeur de la ville, et s'était tourné vers moi pour me glisser un, « tu es ma résidence » puis, « ma mère disait, chaque fois que tu respires, tu peux être sûr qu'il y a un atome du dernier souffle de Cléopâtre ». La mémoire ainsi déambule. Je pensais aussi à ma propre mère, « la nature est si diverse qu'il faut l'aimer telle qu'elle, sans la questionner » ou à mon père, parole de Gaspésien avec les marins, « tenez le cap quelle que soit la tempête ». Et toutes ces cochonneries qui me sortent aujourd'hui à fleur de peau. Dès que je soigne une plaie, il s'en vient une autre. David le voit, après le bain, quand je le sèche. Pourquoi faire simple quand on peut et doit faire compliqué et vrai ? L'ombre de Rachel plane sur cette dernière phrase, proverbe de son humour racé que je mets au goût du jour de ces lignes qui épivardent, verbe qui dit à la fois la réprimande et le plaisir de l'échappée belle, belle quand bien même elle serait tragique.

Chambre 555, parce que Yoshi avait changé d'adresse et de numéro de téléphone ; parce qu'elle avait écrit, accusé de réception les 13 + 2 photos, pour le merci et l'injonction de ne plus essayer de la contacter; parce que son ancien agent faisait rempart; parce que David trouvait le travail de Mark sans vocabulaire, pauvre et répétitif, et ne puisait même plus de la joie à danser en soliste, *Ein Herst*, composé sur la cantate BWV 134 de Bach; chambre 555, parce qu'il y eut Zachary, vingt ans, nos vingt ans déjà plus ou moins largués, et que nous lui avons fait une place dans l'immense lit alors que nous n'avions pas vraiment besoin de lui pour nous surprendre; parce que David disait des choses comme, « c'était quoi la finesse que je voulais dire ? » ou, « tout se meurt de n'avoir pas joui en temps voulu, tu ne sculptes plus ? » ou encore, « Zachary c'est un ordre, ça veut dire, souviens-toi de Dieu, qui c'est celui-là, que vient-il faire dans la donne ? » ou enfin, « je suis comme le vent du sud en Afrique, j'ai toujours été là »; parce que ce fut la bamboche avec Zachary, il sortait d'une chambre de l'hôtel, il est entré dans la nôtre pour une cigarette, tout noir, totem, lèvres roses et dents blanches, il était drôle, intéressé, inattendu, il avait un beau nez busqué, il faisait de la boxe, mais où, d'où venait-il ?, toujours là quand nous ne l'attendions plus, malicieusement à l'affût; chambre 555, Mayflower Hotel, d'autres fleurs de la mi-mai, *je donne à mon espoir mes narines qu'embaument les fleurs de la mi-mai, je donne à mon espoir mon cœur en ex-voto*, Apollinaire, un poème que Rachel connaissait par cœur, elle se prenait pour Lou; parce que la nuit, dans son sommeil, David appelait « Akira » et le matin, dans le coin-cuisine, Zachary me demandait ce que voulait dire ce mot-là, « that word? »; chambre 555, vue imprenable sur Central Park, David était tenu par son contrat, deux fois nous fîmes l'aller et retour avenue Coloniale, le temps d'aérer, de soulever la poussière, de régler les factures, surtout celle du propriétaire, David voyageait encore avec son passeport danois et ne voulait pas prêter serment devant la Reine et ses descendants pour devenir Canadien, « je suis Québécois, comme toi, je ne veux pas devenir Canaméricain »; parce qu'à cette période-là nous fûmes invités une fois chez Ruth, les enfants comme par hasard étaient en vacances chez les parents de l'inénarrable Hans, c'est ce soir-là qu'elle me tira les cartes, valet de cœur, valet de pique, Zachary nous attendait dans le hall de l'hôtel, « je ne peux pas rentrer chez moi », « c'est où chez toi? », pas de réponse, en avant pour le trio, nous lui léchions les pieds après l'avoir douché, savonné, frotté, admiré, séché, sa peau redevenait de soie, tout était bon, il était le miroir noir, la nuit de notre vie et nous ne le saurions que trop tard, il était si jeune, Zachary.

Chambre 555, des ébats, la photo est floue, il y a quelque chose de maléfique dans l'emploi et l'exploit de la parole, des gestes et des regards, une usure, un meurtre; chambre 555, moquette gris pâle, un peu râpée de chaque côté du lit, rideaux jaune fané, David n'avait pas voulu qu'on défît les valises, il rêvait d'autres chorégraphies, « un ballet ça se dessine, plus je danse plus leurs dessins s'estompent », et il parlait de lignes frontales, de compositions de groupe, de balancés, plongées et contre-plongées soulignant le rythme musical, de petits pas à terre, ronds de jambe, de parcours rapides, amples, « Mark est un étriqué ».

Chambre 555, parce que Zachary ne fut qu'un joujou ; parce que nos regards échangés dénonçaient la peur d'avoir été deux déjà tant de temps, annonçaient l'âge quand brusquement il vous renvoie une image qui n'est plus irrésistible ; parce que Zachary nous volait tout, une paire de chaussures, une chemise, une ceinture, une montre, un chandail, nos valises se vidaient, nous éprouvions du plaisir à voir disparaître ce qui pouvait nous appartenir, nous seuls comptions, et il allait en plus, aussi, nous ravir ce que nous avions de plus précieux ; chambre 555, lumières tamisées, le parfum du café, Zachary et David se cognent contre les parois de la douche, buée sur le miroir du lavabo, je crois avoir écrit un soir, du bout du doigt, *et moi?* pour du même geste tout effacer avec une serviette et me surprendre, c'était devenu ça, moi? ; parce qu'il y eut l'avant et l'après-Zachary, et qu'après on ne pouvait plus qu'essayer de toutes nos forces, petit à petit étiolées, sapées, raflées, de remonter plus haut, vivre du souvenir des jours insouciants ; parce que je ne sais plus qui je suis, où j'en suis, il faut aller nettoyer la bassine de David, même propre une odeur se répand, l'épicier du coin m'a dit, « pas possible, vous la buvez cette Javel ».

Chambre 555, parce que dans le délire, parfois, la nuit dernière encore, la nuit prochaine certainement, David, en songe, dira, *c'est pour quand les fiançailles?, c'est-y en ville ou chez nous?*; parce que Zachary nous fit entrer dans la nuit, David et moi avancions dans les ténèbres avec un plaisir fou; parce que plus nous cachions notre peu d'argent, plus facilement Zachary le dénichait, « et là, tu crois qu'il va le trouver? »; parce que la colère n'y fait rien; parce que le commentaire est inutile et que même les révolutions sont truquées, le monde est à sa chute, en le sachant; parce que Zachary était « ravissant », puissant prétexte de ce texte, sang d'encre de ces lignes.

Chambre 555, dans les couloirs de l'hôtel c'était une jungle de musiciens d'orchestre, de chanteurs, de choristes, de danseuses toujours par deux, par peur, Babylone et marchands de drogue à la sauvette, chacune, chacun remontait dans sa chambre avec les mêmes sacs en papier kraft du drugstore du coin, boissons, lait, sandwiches, biscuits, pizzas congelées, tout le monde jeune, moins jeune, pas de vieux, tous plus ou moins fauchés ou en passe de l'être; parce que Zachary avait des blessures, comme des coups, « c'est la boxe »; parce qu'il se mit à flétrir; parce qu'il disparut; parce que huit jours plus tard nous fûmes convoqués au Sutton East Hospital, au téléphone David avait compris « Satanese Hospital », nous en avions ri à l'aller, dans le taxi, et au retour David me tenait très fort la main sur la banquette arrière; parce que huit jours plus tard Zachary était mort, nous avons payé pour l'incinération, il n'avait que nous; parce que nous n'avons plus, non plus, que nous; parce que je ne lirai pas ce chapitre à David; chambre 555, « au suivant ».

Fiction de David

Même et surtout les plus proches, celles et ceux-là qui lui avaient souvent dit, « tu peux m'appeler vingt-quatre heures sur vingt-quatre », « compte sur moi » ou encore, « les amis sont là pour ça ». Le pire moment était venu, il éprouvait du réconfort à se dire qu'il ne ferait signe à personne, même pas aux plus proches, surtout au docteur K. Il ferait ça tout seul. C'en était trop depuis plus de sept ans, trop d'antichambres. Le printemps tardait. Il ne voulait plus revoir de ces beaux jours, pieds nus dans des sandales, pantalons blancs, chemise blanche, coups de vent, cheveux décoiffés. Jamais David n'avait pu saisir immédiatement les autres dans leur altérité plutôt que dans ses réactions subjectives à leur égard. Pour preuve, son consul aux réponses inappropriées, il en voulait de primesaut, alors qu'il s'agissait de surdité de l'autre, présumant un peu vite, se faisant à lui-même un mal qui n'avait pas de raison d'être. Pour preuve également, plutôt que de rompre vivement, apaiser par une plus patiente écoute du parler de l'autre, autre que Roch, amis, chorégraphes, danseuses, compagnons, prendre le temps des propos agaçants et amicaux, pouvoir le geste qui dénoue et laisse l'autre à sa liberté d'opinions et de maladresse.

A chaque fois, David avait tranché, ce serait pour une prochaine fois puisque le phénomène invariablement se répétait, raison de plus pour en faire désormais l'économie. Ainsi David s'était-il retrouvé isolé au point de penser, « même et surtout les plus proches » et d'envisager de se supprimer, sans prévenir personne, en l'absence justifiée de Roch. Il ne supportait pas le crépitement de la pluie sur le toit, l'ordre de la table de travail, le silence de l'atelier, la perte d'appétit, le compte à rebours, plus de tournées, plus de sauts, même plus de cours. Il n'aimait pas le carrelage vert de l'escalier de ce grand atelier de l'avenue Coloniale, plein nord, jamais de soleil, même l'été, au couchant. Il ferme les yeux, il voit Roch et son regard orphelin, sa manière rebelle de citer Supervielle quand il venait de dire une bêtise, *pardon pour les balles perdues*, son air brut lorsqu'il affirmait, « plus jamais mais », sa joie lorsqu'il avait tenu à ce qu'il le photographiât rue Sainte-Catherine est, presque en face du Ouimetoscope, cinéma d'art, devant la boutique *Le spécialiste des échecs*, la gravité de sa voix lorsqu'il lisait ses poèmes auxquels il croyait aussi peu qu'à ses sculptures, comme pour prouver qu'il travaillait même s'il ne faisait rien, l'habitude qu'il avait d'aller toujours prendre une douche, été comme hiver, dès qu'il commençait à douter de lui et il le sentait, sa nudité rappelait à l'ordre du charme et de l'étreinte, la douceur de sa peau et l'émerveillement de l'écartèlement quand on se donne encore un temps, l'amour est toujours à l'essai sinon il n'est plus.

Roch disait, « chaque fois que j'écris le mot sculpture, je pense au mot sépulture ». David ouvre les yeux, la bouillie de pilules est prête. Il a pilonné le tout dans un mortier, il a même ajouté un peu de sirop d'érable de chez la mère de Roch, là-bas, à l'est, non loin du fleuve. Des trois enfants d'Alexandrie, il aura donc été l'intransigeant, celui à qui on ne pouvait rien dire sans qu'il se fâchât, celui qui n'aurait ni épouse ni enfant pour combler Rachel, pourtant il y avait Akira et Rachel ne le saurait jamais, celui dont on murmurait qu'il était « branche morte », l'exemple qu'il ne fallait pas suivre, celui qui ne serait jamais fécond. Comment dire le don de la danse? Comment clamer la procréation de deux, identiques, dans le besoin, dans le désir, dans l'inclination, dans l'instinct, jusque dans la fatalité et l'odeur des pansements et des bassines? Comment savoir si l'on se tient ou si l'on est mis à l'écart?

C'était quoi, le bonheur des autres, qu'*eux deux*? Pour un Roch, il avait fait n'importe quoi. Il l'avait désigné. Ils avaient vécu ensemble vingt ans. David, pendant ces années-là, n'avait jamais cessé de douter du bûcheron, fils sensuel d'un Cosimo, qu'il prenait dans ses bras, plus si jeune que ça et lui déjà un peu vieilli, il s'agrippait, le serrait à la taille, empoignait son fessier. Roch était fier de son corps, non qu'il fût beau mais il avait de l'allure. David lui disait des choses comme, « pas de cul, pas de cœur » ou, « sans parasite, les hippopotames crèvent plutôt tôt que tard ». La pluie s'est calmée. David écoute la ville. Il aime cette ville qui donne toujours l'impression de vouloir vous adopter, seulement vouloir. Un début. Cette ville débutante. David la porte en lui, au plus profond de son ventre, un point, puis le fleuve, l'estuaire et la haute mer quand on doute de tout. Il est enceint de cette ville, rêve ébauché. Il en aime les hurlements des ambulances, le faisceau lumineux qui balaye le ciel, le vrombissement des avions si tard le soir ou trop tôt le matin, le crissement des pas dans la neige, même dans la slotche quand elle vient, les terrains vagues, les gratte-ciel, la croix de lumière en haut du Mont-Royal, comme une cicatrice dans la nuit, les inscriptions murales, les briques lépreuses, les miroirs des façades de verre, les pierres grises et carrées des bâtiments de la vieille ville, jusqu'aux entrepôts qui cachent la vue du port et les bateaux que, parfois, il entrevoit.

Si « vie peu commune », son expression, il y eut, ce fut avec cette ville, non pas seulement avec Roch son sculpteur méconnu, son poète impublié, qui avait « tant de cœur », une ferveur innocente à l'ouvrage d'étreintes qui effaçaient l'éternel ombrage des moins bonnes humeurs. Roch disait de David, « tu es un météopathe de toutes les saisons ». David se dit qu'il voudrait bien oublier Zachary, mais Zachary coule dans ses veines, et contre lui on lutte aussi, à Paris, dans les veines de Roch. David se redit, « même et surtout les plus proches ». Il se souvient des paroles d'une chanson, *car à forcer l'allure, il arrive qu'on meure pour des idées n'ayant plus cours le lendemain.* Quelle idée avait-il de lui-même ? Pour un peu il aurait souri et saisi l'occasion de ce sourire pour prendre une première cuillerée de bouillie. De Roch, il conservait jalousement, rare jalousie, un seul poème qu'il lui avait dédié la veille de son départ à Paris-la-Transfusion, ce texte même qui lui avait fait décider de trancher et de profiter de la fin de semaine, le docteur K. allait passer le samedi, le dimanche et le lundi dans son chalet des Laurentides, pour carrément changer d'adresse, n'importe où et plus là, plus ça, avenue Coloniale, escalier vert, quatrième étage.

Le poème est épinglé au mur, entre la photo des sept ans d'Akira, bandeau sur l'œil, et une affiche de cinéma. David le relit à voix haute,

Maudits ceux
Qui se penchent
Pour mieux vous étouffer

L'affection, alors, est de malédiction.
Maudits ceux qui veulent
Tout comprendre et jauger
Tout prévoir et définir
Ils affirment
Et rendent infirmes.
Maudits soient ceux
Qui adornent, pavanent
Piègent.
Maudit soit le jour
Où nous n'aurons plus la force
De leur dire non
Non à l'oubli confondu avec le pardon.
Maudits soient ceux qui s'approchent
Pour plus encore nous écarter.
Attends-moi.
Les mouettes sont arrivées
Elles donnent l'alerte
La ville est un port
Le fleuve précipite.
Maudits soient ceux qui ont tué en eux
L'enfant de tous les ciels.

Roch, enfant de tous les ciels? Pour qui se prenait-il, lui, prodigue aux irrépressibles colères, réfractaire à la seigneuriale dignité, alternance de force et de suavité? Ce poème n'avait-il pas été écrit par commande et pour plaire, comme à une sortie de douche, la remontée de l'estuaire? David sait et admet que Roch le copiait, qu'il aimait qu'il lui ressemblât, et inversement. Cette fusion lui avait fait prendre la décision de partir sans laisser d'adresse, plaisir d'imaginer Roch planté devant la porte de ce qui avait été leur logement avec, pour seule fortune, un avis de décès, d'autres poèmes à écrire, d'autres sculptures à tailler ou à pétrir. Bien sûr Roch l'appelait tous les deux jours. Bien sûr David lui cachait son inespoir. Mais ce n'était là qu'un jeu auquel ils voulaient perdre tous les deux tant ils tenaient à l'idée que leur ville était capitale, tout sauf l'immense village qu'elle devient quand deux êtres se quittent. Aussi, leur séparation avait été une manière de nouvelle liaison.

En malaxant la bouillie de pilules, David se dit qu'il aurait peut-être voulu en savoir plus sur eux-mêmes, le pourquoi, le comment, le jusqu'où, le d'où ça vient, le flegme du père de l'un, la rigueur de la mère de l'autre, la férocité des sœurs entre elles, Josée et Marleine, Ruth et Leïla, même combat. Tout cela ne comptait pas, piètre inventaire des poèmes quand ils ont un début et une fin, des films quand on les quitte sans regret, des chansons qui ne donnent pas envie de fredonner. Sous la photo d'Akira, il y a une sculpture, un faune peut-être, David la prend dans la main gauche, la soupèse, la caresse, elle se fait douce comme une verge au contact de la paume, il se dit qu'il ne dansera plus jamais, cet après-midi-là est fini. Roch disait, « je ne suis que ton mamant » ou, « je suis un microbe, mets-moi sous une cloche de verre et tu verras des choses». Parfois dans l'intimité il l'appelait « frangin » mais jamais il ne lui avait dit qu'il aimait ses sculptures, son verbe, et que secrètement il souhaitait qu'il ne montrât rien et ne publiât jamais. A chaque passage, la ville les tenait. Roch lui disait, « ici, c'est beau, nous sommes libres et nous ne le savons pas ».

Le jour se lève, un jour gris et pourtant le printemps approche. Jamais David ne s'est senti aussi nombreux; parce que le ridicule du bol avec la bouillie; parce que la comédie que l'on se joue pour devenir ce que l'on est; parce que ça n'a pas de sens, ou trop, et pas d'allure; parce qu'il vient d'ouvrir la fenêtre sur rue et qu'il a entendu les cris des mouettes. « Les goélands », rectifierait le docteur K. David met la bouillie au réfrigérateur. Il sait que Roch reviendra. Il le sent, dans son ventre. Quel besoin d'en savoir plus? La bouillie, c'est pour ce soir. Le docteur K. est parti pour son chalet. Roch ne rappellera que dans deux jours. Tout est devenu simple, rien de pathétique. Un coup d'ardoise magique, on écrit, clip, clap, il ne reste plus rien. A côté du poème, au-dessus de la photo d'Akira, David collera ce petit message, *amis ne me réveillez pas. C'est trop donner pour si peu recevoir. Amis ne me réveillez pas. Ne prévenez pas Roch. Je l'attends. Notre bel ailleurs.* Le message est toujours là, en place. Il regarde Roch en train d'écrire une fiction de David.

Élégance de l'ombre

Plus j'avance, plus notre texte devient clair-obscur, clarté de l'ombre, œil perdu d'Akira, cette photo, face à moi, la photo promise, témoin du coma de David, ratage, un certain samedi, un certain dimanche, et l'alerte seulement donnée le lundi soir par le docteur K.

Plus j'avance, plus notre texte devient étanche, moins il épanche. Qui dit je ? Qui dit l'autre ? Qui peut dire « deux » ? La fusion va de pair avec la confusion des aveux, des souvenirs, des remontrances et des insouciances d'un avenir. A chaque mot le temps s'écarte et laisse passer les héros de l'éternelle noce. Il y a, ici, constance et désarroi, oscillation entre confiance et défiance, accord et désaccord, nulle coquetterie. Veut-on, une superproduction ? Je navigue à vue, c'est *l'obscure clarté qui tombe des étoiles*. Plus je vais à ces lignes, plus les certitudes s'estompent, plus notre dire n'a qu'un sens, dans tous les sens, qui est le meilleur. Voilà pour désaltérer. David claque des dents quand je le fais boire. J'ai peur qu'il morde le verre, le brise et se blesse. Les mots peuvent-ils guérir de la maladie humaine? De l'eau, il veut de l'eau, chaque gorgée est un exploit. Voilà que ça dégouline sur son menton, dans son cou, sur son buste, il essaie de redresser la tête, avale de travers, s'étouffe, tousse, je lui essuie la bouche. Il a les yeux pleins de larmes sèches. Alors je prends une gorgée et vite je l'embrasse. C'est ainsi qu'il veut que je lui donne à boire.

« Ne transige pas », m'a-t-il soufflé à l'oreille. Il sait que je suis proche. Il est devant moi dans le *tabâkun*, l'*ubadagan* comme disait mon père, le *toboggan*, des hauts, des bas, on freine un peu avec les pieds. La sonnette de la porte d'entrée est débranchée, j'en ai coupé le fil avec les ciseaux qui me servent à raccourcir les ongles des doigts de mains de David. Depuis, les ciseaux faussés coupent moins bien. Je sais au regard de l'aimé qu'il ne me reste plus qu'à en acheter une nouvelle paire. Et l'argent, plutôt tôt que tard, viendra à manquer. Le manque s'en vient, se fait déjà sentir. Il y a des douceurs de mangues, de framboises ou d'abricots auxquelles je suis obligé de renoncer. Je n'ose même pas faire une marche jusqu'au magasin d'été de la rue Amherst où nous allions pour le plaisir de humer, d'admirer, d'acheter et de croquer, au retour, en remontant chez nous par le parc Lafontaine. Les amis sonnent donc. Comme ça ne répond pas, ils appellent par la cour, « oh, Roch! », « oh,

David? » Je me mets à la fenêtre, mime David en train de dormir et tends la main gauche en avant, pouce tourné vers le ciel. Tout va? Ils s'en vont, penauds, pas vraiment convaincus.

Au courrier ce matin, une lettre de Rachel, *Copenhague, je hais ce matin de printemps, je n'ose plus quitter mon appartement. Cher Roch. Le plus dur, c'est l'attente. J'ai l'impression de sourire dans le désert. La parole, elle, s'en va comme le vent sur le sable. Ce ne sont jamais les mêmes dunes. C'est une mère brisée qui vous écrit, coupée, inquiète. Le rêve du désert revient chaque nuit avec la promesse des chèvrefeuilles d'une maison d'Alexandrie. David encore m'appartenait, du moins le croyais-je, Leïla comme Ruth m'en veulent de leur avoir moins donné qu'à leur frère. Elles me répondent que « tout ça », c'est de ma faute. Fautive, je me tourne vers vous, dussé-je vous prier de m'excuser de vous avoir si peu considéré, ou trop, d'emblée et par principe, vous traitant comme si vous m'aviez volé mon sac, dans mon sac mon ventre, et dans mon ventre mon fils. Brecht avait la faveur de mon époux qui le citait en poète de notre déracinement, « il y a une félicité éternelle dans le doute ». Je doute, Roch, et douterai éternellement de vous, c'est tout ce qui me reste de félicité. Il n'y a pas de peine perdue. Je suis la tierce, votre mirador. Comme moi, vous êtes terriblement trois. Pourquoi en notre siècle le sentiment est-il considéré comme dépassé? N'est-ce pas plutôt parce que les gens de notre temps savent si peu l'exprimer que la société est devenue individualiste et égoïste? Je me donne, ici, la liberté d'une expression, une ultime sauvagerie. Cette « incommunicabilité » que le plus grand nombre déplore, si subtilement exploitée par les pourvoyeurs de la pensée et de l'art dits contemporains, n'est-elle injustement pas due à cette sorte de pudeur, malsaine en soi, le vrai mal qui nous emporte, et qui veut qu'on cache ses sentiments par peur du ridicule ou pour être à la mode? Continuez! Bravez! Penchez-vous sur mon David comme je me suis penchée sur lui quand il avait le front brûlant d'avoir trop joué avec ses sœurs et ce petit rouquin de malheur, fils de cette Anglaise qui m'a ravi Leïla. A moi de citer mon favori, mon Flaubert, à chacun, à chacune le sien, et son* Éducation sentimentale, *« tout ce qui advient est dénué de sens, incohérent et pénible, mais s'irradie en même temps d'une lumière d'espoir et de souvenir », un recours à la citation pour une Rachel qui appelle au secours. La plate-forme du mirador est étroite, lointaine. Pourtant, je vous scrute clairement. Les mères ont la capacité de concevoir le pire et, somme toute, le plus clair. Je vous salue, tous les deux. Je vous aime, vous n'êtes qu'un, un seul. La mère demanderesse se doute, cruelle félicité, coda, que vous ne relevez même plus les messages du répondeur automatique. Ruth me l'a confirmé, non sans cette malice qui charme mon beau-fils Hans, cet égaré du savoir des êtres. Je salue en vous, vous deux, un seul corps, jumeaux agrippés l'un à l'autre, la générosité étayée par toutes sortes de superbes, d'ostracismes, de défiances, de rébellions, de mépris, de dons et de rejets. C'est une mère rejetée, et dans son emploi, qui vous l'écrit Roch, j'appelle chaque jour. Je laisse parfois de longs messages. Je parle à David dans le vide, un vide que vous effacez. Je vous ai écrit tant et tant de fois. Voici qu'aujourd'hui je sais que je posterai cette lettre, la plus sensée de toutes, parce qu'insensée, allant dans tous les sens, s'autorisant le droit à l'image, ma « poésie », ce que Char appelait « l'élégance de l'ombre », non que je me prenne pour lui, souverain, altier, entier, je ne serai jamais que Rachel, la collectionneuse des coupures de presse concernant son fils, des coupures, rien que des coupures. Je n'irai pas à Elseneur pour les beaux jours qui approchent, qui s'en viennent auriez-vous écrit à ma place, votre bel écrire. La maison est louée. Je tiens à être ici, à Copenhague, quand vous m'appellerez. Je ne me voyais plus prêter attention aux parties de canasta ou d'autres jeux de vieilles dames dignes qui s'amusent encore des grâces de quelques radoteurs, veufs. Vous pouvez sourire. Pendant que vous faisiez le tour du monde, je vous suivais à la trace. Je possède un trésor de cartes postales adressées par David. Le faisait-il en cachette de vous, puisque vous n'en avez signé que deux sur quelques centaines? Ces cartes sont classées, datées, j'ai même, sur une carte du monde, épinglé vos étapes, tendu un fin fil rouge pour les trajets, et cela, au mur du salon d'où je vous écris, ressemble à une toile d'araignée qu'un simple coup de plumeau pourrait détruire. Ainsi en est-il de ma vie et de mes propres itinéraires. Reste l'avenue Coloniale que je préfère ne pas connaître parce que je l'imagine. Tout ce que je lis dans les journaux et dans des livres, sur votre mal, ne m'instruit guère. « Phase terminale pour eux deux », m'a annoncé Hans, quasiment triomphant, au téléphone, il y a deux semaines. Je parlais depuis trop longtemps avec Ruth, « cela va vous ruiner, Mutti ». Moi, une mutti qui se ruine? Il est de notre nature, la vôtre, la mienne, celle de David, d'être interdits de séjour insouciant. Rachel souffre, et après?, si cela demande, demande légitime, questionne, désordonne et propose? Les témoins n'ont pas le droit de se supprimer. Qu'est-il advenu de notre David quand vous étiez en traitement à Paris, le répondeur automatique était saturé et ne prenait plus de messages? Nos attentions perdurent et inspirent l'aveu qui tisse et trame cette lettre que je souhaite sans drame, pour le merci, la gratitude d'une mère qui laisse à l'autre, le plus aimé, l'étreint, le soin de langer son fils comme elle l'eût fait, comme elle le fit. Je ne vous demande qu'une chose, Roch, car écrire c'est rendre les gens heureux, ou moins malheureux, c'est selon, adressez-moi une simple carte, la seule que j'aurai de vous, pour me dire que vous avez reçu cette lettre et que vous l'avez lue. Merci d'avance. Si peu un accusé de réception. Au royaume des êtres qui sont ce qu'ils deviennent, il n'y a plus d'accusation possible, réception il y a. Je joins à cette lettre un avis de crédit à votre nom, n'en parlez pas à David, remettez-le à votre banque qui se mettra en rapport avec la mienne. J'imagine que cela est nécessaire, c'est tout ce qui me reste de mon époux, sa dépouille, cela dormait dans je sais trop quel portefeuille d'actions bien inutile à mon âge, et cela devrait autoriser des douceurs, celles-là mêmes dont vous aurez la responsabilité. Votre amie et votre mère Rachel.*

Bientôt je n'aurai plus la force de porter David aux toilettes. Pour la bassine, il a de l'amour-propre. Assis, en place, il me regarde, il relève la tête comme s'il voulait bondir. J'ai cloué de part et d'autre, dans le mur, deux chaussons de danse dans lesquels il glisse ses mains pour prendre appui, ultime glissade, « tu vois, je tiens tout seul ». Assis en tailleur devant lui, j'attends. « C'est bon », dit-il. Il se cramponne aux chaussons de danse, ses genoux tremblent. Je me penche et embrasse ses pieds. Il se calme. Je viens de lui dire, « ta mère a écrit, peux-tu mettre simplement ton nom sur une carte ». Je l'ai placé dans le fauteuil du bureau, je vacillais, le monde entier tournait autour de nous et nous n'avons jamais eu d'importance. Je lui ai mis le stylo dans la main. Il a écrit, *ani ohev otakh imma, David*. La carte représente *La Chute des damnés* de la Sixtine.

Septième jour, la Macarena

« Ça veut dire quoi ce que tu viens d'écrire sur la carte? » « Maman, je t'aime, c'est ainsi que ça se prononce », répondit David, « un signe de vie » soupir, « notre signe de vie » respir, « le meilleur de la vie » ébauche d'un sourire, « tu connais l'épitaphe du poète, *les vers se vengent*, ça faisait rire ma mère » puis il ferme les yeux, sa tête tombe à la renverse, il reprend son souffle, « aide-moi », « elle t'a écrit? » enfin, « je ne veux plus savoir ». Je demande à David de ne pas bouger. J'ouvre en grand la fenêtre de la chambre. Il fait une chaleur de plomb. Je change les draps souillés et les taies d'oreillers si vite cuirassées de sueur. Voici bientôt le lit immaculé dans lequel je couche mon aimé. Il dort bouche bée. Je le borde. J'irai poster la carte avant la nuit. Demain j'irai à la banque. Les forces me manquent. La lettre de Rachel donne le signal du compte à rebours.

C'était à Séville, quelques mois après la naissance d'Akira, et nous ne savions rien de lui. David avait rompu son contrat, rupture associée désormais à l'évidence de Zachary. Il avait été engagé au Théâtre de la Monnaie à Bruxelles. Notre première escapade, « c'est Fabiola qui nous offre le billet », avait été pour Pâques, et le sud de l'Espagne, Granada, *agua que llora*, Grenade, eau qui pleure, et Séville pour les fêtes de la Macarena, sa sortie annuelle, le grand cortège dans la ville, sous une immense plate-forme, figuration vénérée de la Vierge, et tout autour des hommes en cagoule tenant des cierges et les bannières de leurs confréries. Nous logions chez Eloy Robledo, calle Rosario 8, 8 le chiffre de la mort ou de l'infini, page 80 de ce cahier de nous deux, ainsi l'auteur prend de superstitieuses précautions, le texte le hante, l'entraîne, le tient. David avait connu Eloy avant moi. David débutait. Eloy achevait sa carrière. Dès notre arrivée à Séville, Eloy avait dit à David, « je peux te faire accepter comme porteur sous la Macarena, mais il faut que tu changes de prénom, ils ne voudront pas d'un juif ». David s'était fait inscrire sous le nom de Roch.

Je suivis la procession pendant de longues heures, dans les rues les plus larges du Barrio Blanco, puis autour de la ville, au son des tambours, observant chaque pause de la plate-forme, un chant grave se levait de la ville, cantique pour une célébration qui n'avait plus rien de spécifiquement religieux, un appel, un trouble inhumain et fervent. David me dira l'odeur de sueur et de pets, les râles et les frôlements, l'enfermement des hommes sous la plate-forme, cantonnés au coude à coude, la mesure de chaque pas, « grand ballet presque immobile, ballet de l'effort, le dos rompu ». Le cri des saetas me revient en tête. Était-ce la nuit ou un infini crépuscule? J'écris ceci en mémoire de nous, porteurs d'images.

Josée, ma plus jeune sœur, celle dont nous fêterions les noces à l'Auberge du Parc de Paspébiac, était la seule à tenir tête à mon père. Elle avait fait des études de comptable et lors de son premier emploi, premier salaire, au cœur de l'hiver, s'était acheté le bracelet-montre dont elle avait toujours rêvé. Mon père était furieux et à table, après le bénédicité, ma mère était allée chercher la soupe aux choux à la cuisine, toujours absente aux grands moments du théâtre des familles, avait tancé Josée, « niaiseuse, ma fille, quand on gagne ses premières piastres en hiver, on s'achète un manteau. Tu peux te geler les fesses maintenant ». « Peut-être bien, avait répondu Josée, mais je saurai à quelle heure. » On veut toujours en savoir plus. Un détail dit tout.

J'ai moi aussi renoncé aux médicaments. A chaque mot je peine, la vue baisse. Demain j'achèterai des mangues et des abricots, demain j'achèterai des framboises et des bleuets, faim de fruits, croque la vie, « so long » Rachel.

Les noces de Josée

Rodrigue avait de l'allure, grand, sec, cheveux courts, un brin balourd, un vrai mec aux yeux noisette, le regard dans le vague, toujours souriant, le sourire du « n'approchez pas ». Comme Josée, il se mariait sur le tard. Tous deux, bras dessus, bras dessous, pour la photo de mariage, avaient l'air rudement célibataires, chacun de son côté, chacun pour soi, un bonheur malgré tout puisqu'il y avait la fête et que ce serait le dernier mariage des enfants, 1, 2, 3, 4, 5, 6, 8, 9. « J'ai insisté auprès du père pour que tu viennes avec ton chum, qu'on le voie enfin », m'avait dit Josée au téléphone. Et en arrivant, « il n'en a pas l'air ! », « l'air de quoi ? », « toi non plus, je ne comprends pas », « y a rien à comprendre, petite sœur ».

Lors des présentations, « voici David », mon père avait légèrement penché la tête, les mains dans le dos, obstiné. Ma mère se tenait derrière lui comme un hibou, avec ce regard fixe qui dit, « ça se peut-y ? » Oui, et nous avions fait le voyage. Je devais bien cela à David puisque j'avais rencontré sa mère. C'était avant la chambre 555, les jours insouciants, nous nous interdisions d'interdire. David fut le point de mire de la noce. On le regardait de loin. Je revois également Linda, une de mes nièces, esquisser une révérence en lui tendant la main, « moi aussi, je fais de la danse ». David lui avait répondu en lui mettant la main sur la tête comme pour la protéger à tout jamais, « je ne suis pas la reine d'Angleterre ». Ainsi le monde était comme je l'avais parfois rêvé, moins réticent, capable de petits élans. Les frères avaient salué David comme le père, celui-là même qui avait dit, un de ses radotages favoris, « je ne me suis jamais intéressé aux imbéciles et je ne vais pas commencer aujourd'hui ». Mes belles-sœurs se montrèrent plus coquettes. Yolande, qui venait de la Beauce et dont l'accent nasillard faisait rire tout le monde, avait même soufflé à David, « vous m'offrirez une valse, ou un tango, pour le contact ? » « C'est qui ? » ne cessait de répéter ma grand-mère paternelle, « et d'où vient-il ? » Les neveux se tenaient encore plus à l'écart que les nièces. Exception faite de Yolande et de Linda, nous ne verrons le beau monde de ma famille que d'assez loin, regards fuyants, un pas en arrière, un coup de coude, un clin d'œil complice, un murmure glissé d'une oreille à l'autre l'air entendu, et les notables du coin, les voisins des parents, les cousins lointains, nous avions tant voyagé, nous, et eux pas, un voyage à Québec, parfois à Montréal, et encore, c'en était trop.

A l'écrire, je ne suis pas sans ressentir, comme ce jour-là, l'émotion simple du nº 7 et de ce qui eût pu constituer une revanche, sans penser également à Cosimo et à son instruction, un régal. Envers et contre tout, toutes et tous, David et moi étions là, ensemble, pour d'ultimes noces dans la lignée des 1 à 9. Mon père s'approchera de moi et me lancera un autre de ses classiques favoris, « la pluie de vos insultes n'atteint pas le parapluie de mon indifférence ». L'époux de Marleine, la 8, la revêche, ce rustaud marchand d'assurances-vie me confia, comme s'il allait ainsi gagner en connivence, « ici, on dit rarement ce que l'on pense et on pense énormément à ce que l'on va dire ». Au retour, après l'incident, David me dira de Marleine, « qui était cette personne? » « Mon avant-dernière sœur. » « J'ai cru que c'était un meuble. »

Dans la salle de noces et banquets de l'Auberge du Parc, il y avait un petit orchestre, piano, violon et ruine-babines. Dans l'assistance chacun portait une fleur blanche à la boutonnière, ou une fleur rose pâle dans l'échancrure du corsage, on s'embrassait, on s'esclaffait. Les plus petits faisaient des rondes. Exténuée, ma grand-mère paternelle s'était assoupie sur sa chaise. A côté d'elle, ma mère, qui pour une fois n'était pas à l'ouvrage, s'entortillait les doigts dans un mouchoir de batiste. Devant le perron de l'auberge, il y avait la voiture blanche de location, ornée de guirlandes, attendant le départ de Rodrigue et Josée. Il y eut le repas, puis la danse et, l'alcool aidant, chacun oublia un peu qui il était, d'où il ou elle venait, où ils et elles allaient, tous, même mon père qui se mit à regarder fixement la fête dont il ne prisait de nature pas l'éclat. Il capitulait avec contenance, debout, figé, égaré. Je crois que ma mère pleurait et que son mouchoir était pétri de larmes. Yolande eut droit à son tango et Josée à une valse. Elles se laissèrent entraîner par David. L'idée m'effleura qu'il s'agissait de nos noces et qu'il était bien dangereux d'y avoir associé la famille. Josée fit signe à tout le monde de s'écarter, David alla dire un mot aux musiciens et, au son de la *Valse triste* de Sibelius, après avoir retiré sa veste, retroussé les manches de sa chemise et salué Rodrigue qui donna pour la circonstance le bras à Josée, se mit à danser en solo, le mouvement fluide, le pas souverain et précis, le geste épris, appuyé juste ce qu'il faut, une déclaration d'amour, jamais je ne l'avais vu aussi attentif aux regards et détaché dans sa chorégraphie improvisée, en proie à lui-même s'offrant entier, jamais je ne l'avais vu danser d'aussi près.

Au bout de quelques minutes, lente valse, gestuelle suave et brutale, prototype d'une nouvelle constellation d'étoiles, il ne serait jamais une star, artiste lucide, direct, attachant, je me rendis compte que j'éprouvais de la fierté, cela me fortifiait, fortifications à l'abri desquelles j'écris encore notre « pas de deux », et que son improvisation était réglée sur le centre de gravité du regard de Rodrigue. Seule Josée le ressentit et m'adressa un clin d'œil joyeux.

Brusquement, David entraîna le jeune couple dans sa danse, les plaçant de mille et une manières au centre de la piste, les forçant à s'embrasser, montrant, au grand dam amusé de tous; à Josée comment poser ses lèvres sur les lèvres de Rodrigue embrassant Rodrigue du même coup; à Rodrigue l'art de prendre Josée par la taille, Josée qui d'une cambrure de reins fera semblant de s'évanouir, baiser renversé. Puis la danse de David reprendra, circulaire, autour du couple, comme s'il avait voulu tout à la fois le célébrer et l'encercler. David saisira la main de Rodrigue et l'emmènera dehors, nuit tombée, applaudissements. Mon père serrait les poings, ma mère baissait la tête, ma grand-mère s'était endormie, Josée me prendra par le bras, « c'est tout ce que je souhaitais », et me conduira sous la vérandah, alors que le désordre de la fête reprenait sur un rythme de polka.

Là, face à la nuit, au loin la mer, et devant nous de sombres frondaisons, un vent agitait le faîte des arbres, Josée, me serrant fort contre elle, dira à mi-voix, « laissons-les, ce n'est pas qu'une petite affaire. Sur les lèvres de Rodrigue il y aura toujours l'empreinte de vos baisers. Vous vous aimez plus que nous tous. Jaloux? Toi? Viens donc me faire danser ». Rodrigue et David feront leur réapparition une heure plus tard. Et ce sera le départ des jeunes époux, confettis, serpentins, riz et dragées, une voiture blanche dans la nuit. Puis notre départ. Sans saluer personne. La fête battait son plein.

Septentrion

La mémoire voltige, tout se tisse au fil des lignes, la trame est serrée, rien de déchirant, comment nous déchirer ? David s'est tourné vers moi au milieu de la nuit, je tremblais, douleurs dans la mâchoire, sous le lobe des oreilles, « tu as mal ? » Je ne répondis pas. Il a murmuré, « raconte-moi une histoire ». Je lui ai parlé de Paspébiac, du parc, de la nuit et de Rodrigue. Il a essayé de sourire, « j'attendais que tu me poses la question, un jour. Rodrigue m'a pris par la main. C'est lui qui m'a emmené jusqu'à la plage. Il disait avoir toujours rêvé d'un frère pour se promener dans les bois, jeter des galets dans la mer, c'est tout. Correct ? Tu me crois ? » Je lui ai embrassé le bout du nez. Il a fait une grimace, « ce sont les plus beaux jours de ma vie, merci » et il s'est endormi, bouche bée, les yeux ouverts, dansait-il encore sur le plafond avec Josée ?

J'ai passé la dernière partie de la nuit dans l'atelier. Je me suis remis à une sculpture, pétrir la glaise me calme. Ce que je fais ne ressemble à rien. Est-ce David volant un baiser à mon beau-frère? Sculpter c'est donner à croire. Ecrire c'est donner à voir. Paul, un jour, m'a confié, « je suis de ceux qui ont raté leur vie et qui font tout pour que les autres ratent la leur ». La mémoire est l'encre des textes, elle ne transige pas. Gare à celle ou celui qui ne lui laisse pas dire ce qu'elle clame. Pervers, ce ballet n'est pas pour vous; cette sonate, ce poème ne sont pas pour vous; pervers qui dictez les célébrations, vos salons sont funéraires, vous êtes l'erreur et tous les cancers; pervers, ce texte n'est pas pour vous. La vieillesse, nous l'eussions vécue infiniment. David avouait, « quand je ne serai plus en âge de danser, tu seras en âge de commencer à sculpter ». C'était avant la chambre 555, en route pour une fin demi-deuil, les rongeries, le corps qui se déglingue.

Le plus dur, le matin, c'est de raser David sans le couper. Faire mousser d'abord, c'est plaisant, presque amusant, petit bonhomme de neige, il faut qu'il soit propre, net, pour des jours qui passent, lisses, nous glissons, lui devant, moi derrière. Si je mourais avant lui, qui viendrait le nettoyer et lui donner à manger? « Ça se peut pas » aurait répété ma mère. Tout ce qu'elle savait dire quand elle voulait se plaindre. Si je me rase à mon tour, privilège d'être debout devant le lavabo, je me coupe parce que je n'ose plus me regarder. Je suis tailladé. Je tremble même en écrivant. Il y va de ces lignes comme de mes joues, de mon menton, de mon cou, le sang perle ci et là. Les coupures de presse collectionnées par Rachel sont, également, autant de signes. Les framboises? Une à une, une pour lui, une pour moi, la barquette est vite vide, un bleuet pour lui, un bleuet pour moi, une débauche de fruits, la nouba de la mutti de Copenhague. Si David me dévore du regard, je me dis qu'il me voit comme je le vois, comme avant, comme *toujours* si nous avions été une chanson. Quand je vais aux toilettes, pour moi aussi ça tangue, je mets les mains dans les chaussons de David, je me tiens, j'attends. Il me guette du lit, tend un bras vers moi puis sa main se pose sur le drap, « regarde, je danse avec mes doigts ».

Nous pouvons tout l'un pour l'autre, nous ne pouvons plus rien. *La rencontre avec une personne ne compte pas plus qu'une rencontre avec son œuvre.* L'œuvre de David se résume aussi à un, *c'est nulle part chez moi et c'est comme ça* un, *nombreux sont celles et ceux qui prédisent le pire, incapables de projets, si je prends une décision, sûrs de pavaner en cas d'échec ou de se réjouir avec panache en cas de réussite. L'inhumain joue sur les deux tableaux. La bienveillance est devenue affaire (business) de mépris* un, *nous serons toujours les émigrés de l'avenue Coloniale, les exilés de nous-mêmes* ou un, *je voudrais un ballet de solitude et de mort, le ballet de la célébration et de l'indifférence, de l'ascension et de la chute, face à la morgue de celles et ceux qui jugent et n'osent jamais rien.*

Ce ballet, David, le voici, le sujet. Je te l'offre, je le rêve. Une mémoire le produira. Titre, *Septentrion. Saltavit et placuit.* Musique? La voix de Septentrion. La partition serait architecturée autour de la voix du héros, un chant pur et inespéré. Des sons rêvés, préexistants prendront rapidement forme à l'apparition de ce personnage, face à ses juges indifférents. D'un côté, une voix multipliée, diversifiée et seule, grave, jeune, une voix épiphanique. De l'autre, des séquences-portraits aux sonorités marquées, acides et une teinture de violence pour chaque séduction. Il y aurait des Saxophones ténors de couleurs instrumentales avec des dominantes de *leitmotive*, Pianos, Guitares, Violons, Ondes, Appeaux, Criquets, Gigues à bouche. Le baroquisme de la trame sonore serait aussi affirmé par l'intervention d'éléments de jazz et de free-jazz qui irrigueraient constamment le discours musical. La voix de Septentrion domine, boucle, étrangle le tout. La danse? Une rencontre.

Ce ballet serait dansé pieds nus. Nous porterions en scène une légende qui va se créer. Pieds nus, les équilibres ne sont plus les mêmes. Un décalage se crée, comme un déséquilibre. Un nouveau texte gestuel s'écrit. Pieds nus, à plat, les mouvements du danseur ont une autre signification. Un climat de dépouillement imposerait cette nudité qui est une discipline. Rien de plus appris que la spontanéité de cette autre danse. Un choix pour célébrer le risque de l'artiste. Plus encore, le sol serait comme hérissé. Le tapis limiterait les possibilités de glissades, de pirouettes, d'élévations et impliquerait une autre rigueur. Se réapprendre, se recréer, ce ballet sans chaussons serait une aventure.

Anecdote? Une terrasse en surplomb de la Méditerranée. Une piscine. Citons Sevy Erravan, *la mer s'est couronnée de piscines, vastes baignoires où le luxe fait quelques brasses, en eau pure, mais qui est pur?* Sur cette terrasse, autour de cette piscine, voici les luxueux : la jeune fille et le jeune homme amoureux, la femme aux bijoux, l'homme puissant et la star, l'idole. Ils s'ennuient. Propriétaires de tout, ils ne se sentent propriétaires de rien. Surgit Septentrion, l'artiste. Il n'est propriétaire que de son talent. Il danse, *saltavit*, et il séduit, *placuit*, tour à tour la jeune fille, la femme aux bijoux, l'homme puissant et enfin l'idole. Mais ceux-là, séduits, n'accepteront pas qu'au terme de ce qu'ils considèrent comme une ascension sociale, Septentrion continue à danser sa danse et non la leur, celle de l'ennui et de la norme. Septentrion ne se compromet pas. Il ne joue pas le jeu du clan. Il reste bondissant, sincère, fidèle à son inspiration. Abandonné par ceux qu'il a séduits, il se suicidera dans l'indifférence. Sur une terrasse, au bord de leur mini-mer morte, les luxueux continueront à vivre leur « vie privée ». Septentrion, mort, nous livrerait le secret de la vie de l'artiste. L'intégrité. Un risque à chaque pas créateur.

Pour David, plus loin encore : *Saltavit et placuit*, Septentrion, créateur, provocateur, est victime d'une indifférence à double tranchant. Tout créateur provoque et brise une indifférence pour courir le risque, s'il reste l'être jaillissant des élans premiers, d'être à son tour brisé par cette indifférence. Cette « indifférence à double tranchant » est l'arme blanche dont usent ceux-là mêmes, nantis, luxueux ou juges pour célébrer puis disgracier le créateur qui, fidèle à ses élans, n'entrera jamais dans leur clan. Voici Septentrion, mon David, moi-même, nous tant, image du combat de toute création. Il nous vient d'un rivage, Antibes où, petite histoire qui contient à elle seule celle plus vaste et profonde de nos espoirs de création, une pierre tombale d'époque gallo-romaine célèbre cet enfant Septentrion par une épitaphe qui dit tout, *Saltavit et placuit*, il a dansé et il a ravi, il a bondi et il a séduit. Cette pierre est tombale. Septentrion est mort. Pourquoi? Comment? Cette épitaphe ne serait-elle pas un cruel hommage rendu par ceux-là qui ont célébré puis disgracié Septentrion? La célébration de l'art est meurtrière. Imaginons simplement que Septentrion est arrivé à Antibes avec une troupe de baladins, qu'il a dansé, brisé cette barrière de l'indifférence qui est aussi celle de l'ennui pour être célébré par ceux-là nantis, luxueux, qui étreignent, achètent et jettent. Spontané, bondissant, Septentrion, fidèle à son inspiration rude et brutale, ne comprendra pas pourquoi aucun de ceux qu'il a tour à tour séduits ne se retournera et n'aura un geste pour lui, vers lui au moment de la mort. Ironie amère, le souvenir de sa danse et de son charme inspirera l'épitaphe cinglante, éternelle. Ce ballet célébrerait la danse et son messager, l'artiste et sa création, sa solitude et celle, assassine, de ceux qui célèbrent par mode ou par caprice. Mais la disgrâce n'a jamais été un tombeau. Septentrion revient et reviendra toujours.

Voici cette terrasse en surplomb d'un monde qui s'oblitère. Cette piscine est le résumé propre de toutes les mers salies. Clara, Pamela, Grick et leur star Ava s'ennuient de se croire juges et propriétaires de toutes les créations. Surgit Septentrion. Tour à tour, il enlèvera chacune et chacun. On le fête, on le pare. Or Septentrion ne joue que le jeu de sa création et de son inspiration. Jamais celui qu'on veut lui faire jouer. Aussi, ceux-là distraits, satisfaits, seront-ils bientôt jaloux ou bien lassés, pour redevenir indifférents. Septentrion leur renvoie l'image de ce qu'ils ne sont pas. Et dans la mort qu'il a choisie, son appel au secours ne sera pas entendu. Toute création vraie est un suicide que personne ne regarde. Ou bien un temps seulement.

Il y va de Septentrion comme de tout créateur. Il est passé, son souvenir ne s'est pas effacé. Il passe, son souvenir ne s'efface pas.

Neuvième jour, c'est la nuit, la ville vrombit, la rumeur de la foule de la rue Prince-Arthur monte jusqu'à nous, confuse, estivale, pas vraiment joyeuse, fracas de musiques, de sons sourds, rauques, rampants. Toutes fenêtres ouvertes, l'air stagne, David respire difficilement, « qu'est-ce que tu écris ? » « Un ballet, Antibes, l'épitaphe de Septentrion. » « Tu me le lis ? » David a dit, « tu feras le décor ? » puis, « pars pas avant moi, promis ? »

Le mouchoir des villes

Clara, Pamela, Ava, Grick, personnages inventés, et les autres, foule de celles et ceux que nous avons côtoyés, à quoi bon nommer, rien ne pourrait gommer, ils sont l'ineffaçable marque des clans et des modes, l'indolence, l'impertinence, la fatale indifférence, l'insulte et son culte, l'art de la perpétuelle mise à l'épreuve de l'amitié, par orgueil, impuissance à ne plus être ce que l'on est, acharnement à empêcher les autres de devenir ce qu'ils sont.

Une odeur s'est installée dans l'atelier et, plus précisément, dans la chambre. Elle est tombée avec le brusque été, sans même la transition du printemps, lourde, capiteuse, subrepticement puante, odeur de décomposition, exhalaison de nos corps, nous sommes vivants, nous sommes morts, nous sommes nous, notre parfum final est de glaires, pustules et latrines, senteurs de sueurs, d'aisselles, de Javel et d'alcool à friction, fracas d'hécatombe. Plus je lutte, plus j'écris, plus le temps creuse un sillon de moins en moins profond, plus l'odeur s'incruste, pour un peu je nettoierais les murs, laverais les plafonds comme des sols. Supercat ne vient plus. L'odeur est également terreuse, comme si la glaise de la sculpture à peine ébauchée depuis deux nuits avait transpiré, répandu des poussières d'ombre, des poudres oliférantes, le souffle des cendres quand il n'y a plus personne pour attiser. Parfois le stylo s'échappe de mes doigts, roule sur la page et tombe entre mes cuisses nues, rattrapé de justesse, taches d'encre, autres constellations.

David et moi n'eûmes pas beaucoup d'amis. Chaque fois qu'un lien se tramait, qu'un partage semblait possible, qu'une image de nous deux se fixait dans le regard d'un autre, David s'acharnait à tout rendre drôle, excessif, déchirant, impossible. Il excellait dans l'art de provoquer des ruptures, de démasquer le moindre détail révélateur d'un calcul, d'une stratégie, affirmant aux autres que schizophrénie, paranoïa et tout l'attirail de psyché n'était qu'une invention pour donner bonne conscience. Le texte est illimité, infini. Le mal qui nous emporte n'est rien en regard de tant d'autres malheurs, épidémies, trahisons, violations des droits, rien en regard d'un paludisme qui, exemple entre cent, résiste aux médicaments préventifs et voyage dans les soutes à bagages des avions, va et se répand aussi vite qu'eux, pauvre globe ; rien en regard de tant de causes, et pourtant, c'est du baiser dont il s'agit, de la réjouissance, du tact, d'une profondeur, d'un exploit, d'un recours à l'autre, se nicher, s'engoncer, s'enfouir, se fendre, s'étourdir, se réjouir un peu, se serrer l'un contre l'autre, se humer. Une odeur est tombée dans l'atelier et plus précisément dans la chambre qui est désormais celle de l'encre qui ne panse même plus les plaies.

Si David est pris de fièvre, s'il délire un peu, il répète, « raconte », « raconte-moi », « raconte-moi une histoire », « encore », « encore ». Il y a une chaise près du lit. Elle aussi empeste. Et j'aime cette odeur qui nous enveloppe, petit à petit, linceul, elle nous momifie. Qui tape à la porte ? On vient parfois. On frappe. Je ne réponds pas. Noter les dernières paroles de David à Paul, nous quittions New Pork City, New York Pity, chambre 555, « tu es quelqu'un de formidable, tu as réussi à te fâcher avec toi-même, bon vent ! » et, « la vie, on a tous besoin d'y croire ». Paul s'était moqué. David avait tranché, « tu veux le dernier mot, celui de l'amertume ? Nous gardons le premier, celui de l'enclume ». Et, devant tout le monde, nous étions dans un café de la 57e, Paul avait rougi, David m'avait fougueusement embrassé sur la bouche, baiser profond, presque un baiser renversé, ce qu'il appelait un « baiser-bronchite ».

On frappe à la porte puisque la sonnette est débranchée. Je n'ouvre pas. Il y va de la clarté de deux et d'un pacte, nous sommes les seuls à pouvoir nous regarder sans courir le risque des frayeurs. Nous sommes devenus des pantins effrayants. La pire lèpre est morale plus que physique. Je sculptais. David m'a appelé. Nous nous sommes fait l'amour, avec dévotion, presque comme avant, presque. On aime les plaies, les failles, les grains de beauté, les cicatrices, les manquements, les élans, les excès, les humeurs, les vertiges et les errances de l'autre. Quand on aime, on aime tout, jusqu'au bout. Je suis allé acheter sur la rue Saint-Denis des draps neufs, bleu uni, comme des ciels sans nuages, draps de luxe, voilà que faire de l'argent de Copenhague, des serviettes moelleuses, des gants, des produits pour le bain, des crèmes pour la peau, ces crèmes dites de beauté, et dans l'escalier, assis sur la marche en dessous de notre palier, l'épaule droite contre le mur, un enfant recroquevillé, presque un jeune homme, un sac de joueur de hockey entre les jambes, m'a regardé passer sans rien dire. Plus tard, quand je suis rentré, chargé de paquets, il s'est levé, « oncle Roch ? Je suis l'aîné de Josée et de Rodrigue. Maman m'a dit de t'attendre, la journée entière s'il le fallait. Elle est allée magasiner ». « Comment t'appelles-tu ? » « Roch, comme toi, je peux voir tes sculptures ? » J'allais l'embrasser, je me suis ravisé. Après tout je suis un P.W.A., et l'an dernier, à Vancouver, David et moi, pour la parade des gays, arborions l'insigne *touched by a Person With Aids*, pouvoir en parler, pouvoir le dire, vivre encore et mourir vivant. Combien de fois David a-t-il pu écrire dans des toilettes publiques, ici, là, ailleurs, souvent, au milieu des graffitis obscènes, *y a-t-il une vie avant la mort?* Chaque fois que nous arrivions dans une ville, le soir du premier jour, il se nettoyait les narines. Si le mouchoir en papier était sale, il disait, « cette ville est pourrie » ou, « gare aux loups ».

J'ai laissé mes paquets sur le palier et j'ai posé la main sur l'épaule de mon neveu, « tu as quel âge? » « Treize ans. » « Vous êtes combien? » « Quatre garçons. Maman attend une fille. On sait que c'est une petite sœur qui arrive. Je peux entrer? » « Non. » « Pourquoi? » « Non. » Nous nous sommes observés. Presque un jeu d'enfant, comme Josée et moi, autrefois, « je te tiens par la barbichette, le premier, de nous deux, qui rira, aura une tapette ». Il a souri et, par frayeur, m'a dit, « je t'aime, tu sais. Maman nous... » puis il s'est tu. J'ai caressé son front, du bout du doigt, il a baissé les yeux, « faut pas entrer », dis-je. Il y eut un silence. « Je... » murmura-t-il, et comme lui non plus ne savait pas quoi dire, je l'ai pris par le menton, le forçant à me regarder, il poursuivit, « je dois te donner le sac. Maman a dit que tu pouvais le garder. Ce sont des cadeaux. Il y a des photos. Des confitures. Une couverture. Je ne sais plus ». Il m'a tendu le sac, « donne-moi au moins une de tes sculptures ». Je suis rentré chez moi, chez nous, en lui disant, « attends-moi ». J'ai jeté les paquets dans l'entrée. J'ai vidé le sac. David se cambrait de douleur, sur le lit, hébété, tremblant, « qui est là ? », « c'est une erreur », « tu me mens », « oui, je te mens », « viens vite ». Je lui ai donné à boire. Je l'ai calmé, « dis, c'est Akira ? », « non, ce n'est pas lui ». Il bavait. J'ai essuyé sa bouche. Le ciel s'était couvert. Un orage grondait. Un enfant criait dans la cour. La voisine appelait Supercat. Je suis descendu dans l'atelier. J'ai emballé dans de vieux journaux la sculpture ébauchée depuis deux jours, et je l'ai placée dans le sac de hockey. Quand j'ai rouvert la porte, l'autre Roch attendait sur le palier, debout, bras croisés, l'air déterminé. Je lui ai tendu le sac, « et ta mère ? » « J'ai l'argent du retour, le billet, les horaires, elle a tout prévu. » « Dis-lui que je l'aime. » « C'est quoi, la sculpture ? » « Ce qu'elle te racontera. » « On se reverra ? » « Non. » « Dis-moi qu'on se reverra. » « Non. Et n'oublie pas d'embrasser ton père. Prends garde à toi. » Il a pris le sac, « c'est lourd » et il a dévalé l'escalier. Je crois qu'il pleurait.

C'est bon de pouvoir pleurer encore. J'ai allongé David dans les draps sales. Je lui ai refait un lit tout neuf. J'ai rangé les confitures. La courtepointe est ornée de cœurs en damier. Un petit mot, *c'est moi qui l'ai cousue pour vous. Josée.* Sur une photo, Rodrigue, elle, Roch et au-dessus des trois autres têtes blondes, les prénoms, René, Cosimo et David. Ces choses-là n'arrivent que dans la vie.

Tenir

Avenue Coloniale, ce point de chute est notre port d'attache. Tant que je serai plongé dans mon travail et que je vivrai dans l'atmosphère de notre livre, bateau ivre, je me dis que David ne sombrera pas, et moi après lui. David détient une part d'infini. Sa présence me transforme, une perpétuité. Quand il me dit, « merci » parce que je le nettoie ou me penche, il parle pour *me* dire, et je ne sais plus lequel de nous deux écrit, celui qui sommeille ou celui qui tient le stylo en tremblant. La logique sangle l'affection.

Ici, rien ne se développe, tout s'enveloppe dans les draps des pages, nous nous enlaçons. Ici, je ne règle que nos propres comptes dans un monde déglingué, fier et fou à l'idée de planter un jour sur notre ultime barricade, enfermés que nous sommes, le drapeau arc-en-ciel qui flottait l'an dernier aux jeux Olympiques gays, à Vancouver. David et moi errions, main dans la main, heureux de voir tant de garçons et tant de filles, tant de femmes et tant d'hommes, tant de *guys and dolls*, couples singuliers, fondus dans la foule, simples sujets de la Queen, parfaits individus, citoyens comme les autres. Cette foule était un acte militant en soi. Ici, à ces pages, l'écriture est un acte inespérant en soi. Le temps des causes est révolu, voici venu le temps des preuves. David et moi savions que c'était là notre dernier déplacement. Nous n'étions pas sans penser que nous avions pleinement donné notre temps ensemble, qu'il avait dansé, que j'avais sculpté, pour l'insouciance de cette ville investie, personne pour pointer qui que ce fût du doigt, quand bien même la presse locale n'avait fait état de l'événement qu'en photographiant le seul manifestant dans la ville alors que nous étions quarante mille dans le stade.

Je viens de descendre à l'atelier, dans un seau j'ai versé le contenu de toutes les boîtes, fioles, sachets d'argiles et de sables, terres mêlées rapportées de nos voyages. J'ai malaxé le tout, ajoutant un peu d'eau, un peu d'huile, un peu de calcaire. Nous sommes là, David et moi, dans cette boue. C'est David, dans *Septentrion*, que je voudrais sculpter. Le monde va tambour battant, et nous, porte fermée, une tranquillité, un répit, une confiance qui chavire. Pétrir cette masse grise, ocre, puis brune, gluante, de plus en plus compacte, prête à l'exploit de l'œuvre, m'a redonné des forces pour écrire, ni omission ni rémission, ni rancunes ni rires, contre toute attente tenir. Nous sommes, au fond du seau, le matériau premier. La nuit du onzième jour vient de tomber. J'ai acheté des ventilateurs, deux pour la chambre, un pour le bureau. Notre odeur n'est toujours pas chassée. Elle virevolte. Ainsi va la vie, on la fait aller, on s'abat, on est abattu, on se relève, le ballet continue, perpétuel retour de flammes. C'est toujours la même histoire et ça vaut la peine de la raconter. Le marchand était fier de me vendre trois ventilateurs d'un coup, modèle chromé à trois vitesses, « c'est pour la vie », et il a insisté pour que je prenne la garantie, « vous pourrez revenir dans dix ans ». Combien de fois ai-je entendu David fredonner le classique *a stranger in my own town*, étranger dans ma propre ville? Il n'avait qu'une ville en tête, Alexandrie, où il m'emmena afin de me montrer sa maison natale, « et celle d'Oswyn ». Il ne les retrouva pas. Les villes changent, la mémoire des enfants s'émaille, les trains déraillent, les felouques étaient là et plus de maison, du béton, des buildings, une odeur de poussière sèche d'arrière-cour. « Les fleurs, les arbres, ils ont coupé le magnolia », répétait David. Il était si fortement blessé que ce jour-là nous n'appelâmes même pas sa sœur Leïla. Était-ce aussi par peur d'entendre la voix de la mère d'Oswyn?

C'est à Vancouver, l'an dernier, que nous avons vu se fondre les deux communautés de lesbiennes et de gays, à égalité de nombre, d'humeur et de bonté, bonté et beauté, l'une entraînant l'autre. Au spectacle du gala de fermeture des Jeux, David s'agrippait à moi, une affiche annonçait que les prochains Jeux auraient lieu à New York. « Qui aura la 555, au Mayflower? » murmura David avant de m'embrasser avec autant de fougue que devant Paul le jour de nos adieux. On nous regardait, choses déambulantes, et dans les regards de chacune et de chacun, nous savions que tous savaient, se disaient que, point final.

Le plus dur, c'est de brosser les dents de David. Il souffre, je le sais, cela me rend encore plus maladroit. Chaque jour pourtant je fais des progrès. Pour corriger mon tremblement, un petit truc pour la rubrique « cent idées » d'un magazine féminin : je le brosse de haut en bas, de bas en haut, ses gencives saignent et je prends soin de bien doser le bain de bouche car ces produits sont abrasifs. De l'autre côté de la rue, il y a un terrain vague et une affiche au vu de la foule de la rue Prince-Arthur. L'image est une paire de jean, en grand, et un titre *s'attacher sans douleur*. J'ai d'abord lu *s'attacher sans douceur*, douceur et douleur de l'attachement.

A Nice, il y a si longtemps, derrière la porte de notre chambre d'hôtel, sur un panneau, une phrase s'achevait par *adressez-vous à la réception.* David avait lu *adressez-vous à la déception.* Nous avions ri. Je souris. Je me perds, je suis perdu. Qui impose ici une logique? David appelle. Va-et-vient du bureau au lit, du lit au bureau, « tu me le liras tout ? » Notre part d'infini ? Où il serait question de l'écriture, réalité en soi, et non de l'écrit, reproduction du réel. Où il serait question du plaisir de la lecture qui est la première gravure de l'écriture. Écrit en fait qui lit ? Tenir. Où il serait question de la vocation irremplaçable des mots et, qui sait, de leur pouvoir thérapeutique ? Contre toute attente tenir. Où il serait question du droit à l'émotion, l'émotion de départ, la direction, la trajectoire. Où il serait question du texte quand il ose, propose et n'impose pas, écrire contre toute attente. Écrire, ça survient, ça vous tombe dessus, ça ne se décide pas, ça vous entraîne et gare à celle ou celui qui dit je sans jouer.

Où il serait dit que le quotidien est fabuleux, il regorge de fables. Écrire c'est d'abord écouter, observer, peut-être aussi noter, journal intime, inscrit ou en simple mémoire, gestation, écrire c'est pétrir. Où il serait suggéré que l'écriture ne procède pas d'une décision, d'un délibéré, mais bien d'une pulsion, d'un appel et d'une réponse à l'autre, non pas seulement à soi. David geint.

Où il serait question de l'individu qui se nomme dans une société qui gomme. David bave. Où il serait question de l'obsession sensuelle de l'écriture, écrire : crier et rire, le papier, l'encre, être ce que l'on naît, être ce que l'on devient, être ce que l'on est, n'avoir que ce que l'on donne. David fixe le plafond, bouche bée. Produire et ne pas seulement reproduire, créer et ne pas seulement recréer. « La récréation est finie », a dit celui-ci. « Le bonheur c'est ce qu'on en fait, ce n'est rien d'autre, tu le sais », a dit celle-là. L'écriture est un bon heurt. On avance, on fait front avec la lectrice ou le lecteur, chacun écrit son propre roman, en lisant, en se relisant. Qui nous re-lira ?

Où il serait question de la province des textes, de l'esprit libre, des villes, des maisons d'enfance, des fleuves, des deltas, des ports, des centaines de chambres d'hôtel où nous nous sommes étreints, des théâtres, des coulisses. Où il serait question des contraintes sans lesquelles il n'y a pas de liberté et des rigueurs, des vigueurs, des disciplines, sans lesquelles il n'y a pas de clarté. *Que le risque soit ta clarté*, dit le poète. David appelle. Où il serait question de la ponctuation, rythme, musique, mélodie ; de la juste mesure de l'aveu ; du creuset, du filon, de la biographie sans qu'elle verse jamais à l'autobiographie somme toute mensongère si elle ne fait qu'épater et penser à des clés, friandise des médias. David boit l'eau de ma bouche. Où chacune et chacun pourrait qualifier son désir d'écrire, le dire, l'échanger, l'affiner, quand tout nous quantifie, commerce de l'âme. David a perdu une dent. Il a failli s'étrangler. Je suis allé la chercher, doigté, au fond de sa gorge. David, édenté. Travaux pratiques, pratique de l'écriture, le témoignage de l'un peut entraîner l'enthousiasme de l'autre, le roman ne serait-il qu'une forme dévoyée de journal intime? Dans le mot « dévoyé » il y a le changement de voie; il y a également l'appel du voyou de la chambre 555, celle ou celui qui ne transige pas, qui ne veut ni ne peut subir les charmes de la norme, la fascination du conforme.

David répète, « one, four, three », un, *I*, quatre, *love*, trois, *you*, 143. Qui nous dit et nous inter-dit d'écrire, et d'annoncer d'où nous venons, où nous allons et comment? J'ai lu ces quelques lignes, incantation, à David, « continue ». Où il serait question, coda, variations, d'une écriture qui ne procède pas d'une décision ou d'une idée, mais d'une émotion et d'un appel. Écrire c'est être deux, et tant, le je est nombreux. D'où vient qu'en une seule page on a l'impression d'avoir tout dit alors qu'écrire c'est infinir, inachever, inespérer? Où une parole circulerait, d'égale à égal, chacune et chacun n'ayant plus peur de l'autre. « Continue. » Où il serait question de la pratique d'un art qui implique une ascèse. D'un corps qui n'est pas méprisable. De tout cela il serait question.

Il pleut. Une fraîcheur monte de l'arrière-cour. Il y a un feu d'artifice au bord du fleuve, loin, derrière les murs, et le ciel fait le tambour. Un feu d'artifice sous une pluie fine? David a pris une longue respiration, « va mettre de la musique, je veux me lever, je veux descendre, je le peux, je le pourrai ».

Le bonjour des simples

« Regarde, murmure David, je vais me lever. » Assis sur le rebord du lit, il essaie une fois, deux fois, à la troisième il réussit, titube, manque de chavirer, je le retiens, « ça va, laisse-moi », il piétine sur place, pieds nus, ombre de lui-même, les bras fins comme des allumettes, « plus fort la musique », il retrouve le contact du sol, « ça tourne », il sourit, comme une grimace, douleur ou douceur?, réception ou déception? Nous avons toujours été aussi prompts l'un que l'autre à nous éprendre qu'à nous blesser. Un émoi nous a gouvernés, celui-là même sans quoi une durée est impossible, et par lequel une rencontre demeure invincible.

Je suis descendu à l'atelier et, comme si tout avait été prévu d'avance, j'ai mis la main sur le disque de Bach par Pablo Casals, et j'ai appuyé sur le bouton qu'il fallait pour que résonne la troisième Suite, son solo préféré, si souvent dansé quand il participait à un gala. Ce n'est pas ici l'histoire d'une mort mais celle de notre vie, une histoire comme toutes les autres histoires, jamais la même, toujours la même, histoire d'amour et de son cours, flux et flonflons. Il y avait du régal dans mon regard et dans le sien, également, à égalité, quand agrippé à la rampe il a difficilement emprunté l'escalier. Autrefois il aurait dit, en arrivant en bas, comme une meneuse de revue couverte de strass, « l'ai-je bien descendu? » Là, il vient de plonger dans mes bras, était-ce un cri ou un rire, que voulait-il dire?, un mot s'était bloqué dans sa gorge. Il a répété, « ça va, laisse-moi ». Petit à petit il s'est détaché de moi, assurant chacun de ses pas, levant douloureusement les bras pour l'équilibre du funambule. La musique le tenait debout.

Pour un peu j'aurais ameuté la ville entière, « entrez, entrez, et vous verrez... », qui aurait compris, qui aurait vu la réalité, notre bonjour des simples? Je battais des mains comme l'enfant que j'avais été avant que mon père ne m'interdise de parler à table. C'est toujours la même histoire, jamais la même, et ça vaut la peine de la raconter. Pour un peu il n'y aurait plus de disgrâces, plus de difformités, plus de commerces rusés, plus de maux pour nous émacier, nous ronger, nous vider de notre eau première, la peau, tissu, est un texte. Rachel souvent citait le poète René Char, qui savait coexister avec *le commerce des rusés et le bonjour des simples*. Nous existions. Nous existons. Rien de délabré dans le corps de mon David. Le corps du Pierrot éblouissant est toujours le même. Il ne peut plus l'exploit du geste mais, chagrin du mais, la peine pointe, elle autorise ces lignes, il y a de la ferveur. David n'a plus que ce qu'il m'a donné, de la fureur encore, et je ne lui donnerai jamais assez en retour. Un pas court, un balancement, l'esquisse d'un geste d'offrande, une ébauche de pirouette, puis il s'écroule à genoux devant le récipient contenant les terres mêlées de nos voyages, y plante ses mains, pétrit, se macule le visage et le buste. Ce sont les derniers accents du premier mouvement de la Suite. Il tombe la tête la première sur le rebord du récipient. Une autre dent roule par terre, une canine. Il se tourne vers moi. Je change de disque et place la Waldstein interprétée par Yves Nat. Au premier accord il frémit et se remet à pétrir la masse de glaise, « c'est assez pour aujourd'hui ». Il ramasse sa dent et je le porte dans la baignoire où je le couche et le nettoie. Il dit, « tu vois, tout désespoir n'est pas perdu ». Il y eut alors une lueur vive dans son regard, presque amusée. Il tenait la dent dans son poing gauche, « si je la mets sous mon oreiller, viendras-tu la prendre pendant mon sommeil et glisser une surprise, comme Rachel ? »

Je l'ai séché. C'est la Saint-Jean-Baptiste. La ville est en liesse. Il y a des drapeaux du Québec aux fenêtres, rude province, mon pays, qui s'en tient à son rêve d'indépendance, qui en a pris l'habitude comme d'un autre complexe, et qui n'ose toujours pas faire le « premier pas ». Ou le fera, et alors, nous ne serons plus là. Mon David, mon apatride, aurait enfin eu une identité, une racine. Le courrier jonche le bureau. Je ne l'ouvre pas. Ainsi faisait Erik Satie, il jetait les lettres non décachetées, les tassait derrière son piano d'étude. Après sa mort, ses rares amis allaient découvrir le magot de messages intacts, une excentricité de plus ? La solitude est excentrique. Dans une pile, je n'avais pas remarqué une enveloppe avec un timbre japonais. J'ouvre, une photo d'un très jeune danseur, un petit homme, peau brune, cheveux blonds, longs, en position d'entrée en scène, pieds à l'équerre, bras relevés. Et une lettre, *chers deux. Akira gardera son bandeau de flibustier tant qu'il n'aura pas son crâne d'adulte. Plus que quelques mois. On me dit que c'est l'épreuve pour vous, avenue Coloniale. Je vous ai laissé des messages. Jamais de réponse. Si vous ouvrez cette lettre, apprenez qu'Akira vient passer sa première audition à Boston le 23 du mois prochain et que nous viendrons vous voir si vous ne pouvez pas vous déplacer. Vous devriez me joindre au 2 Nihonenoki Nishi-Machi Shiba Minato-Ku, Tokyo, j'y ai mon appartement et mon studio de danse. Le téléphone est le 889.98.88 et je sais que David n'aime pas le chiffre 8. Il faut qu'il voie Akira. Cette fois je le veux et le demande. A très vite nous parler. Et comme on dit chez vous, bonjour. Yoshi.*

David dort, pour de vrai, les yeux fermés, sur le côté. La petite souris, la fée, disait-on chez moi, pour les 1, 2, 3, 4, 5, 6, 8 et 9, est passée. J'ai pris la canine et j'ai fait glisser la photo d'Akira sous l'oreiller. La venue de Yoshi précipite. Quel jour sommes-nous? Le 24? Et si Yoshi était déjà là, avec Akira, dans la ville, dans un hôtel, non loin? Ma première réaction fut de téléphoner au docteur K. Pas de réponse, dimanche. Je l'ai appelé ensuite dans sa maison des Laurentides, son ami Pierre m'a répondu que K. était en Afrique, pour un congrès, et sous le coup de cette absence lointaine je lui ai confié le texte d'un fax, comme un appel au secours, confirmant que David s'en allait, ne prenait plus de médicaments, texte qui commençait par *David s'en va...*, après je ne sais plus. Pierre m'a glissé, « pourquoi vous enfermez-vous? » puis, « non, je n'ai rien dit » et, « prends garde à toi pour lui, j'enverrai le message dès demain. Que puis-je faire d'autre? » « Rien, merci Pierre, merci. »

Je retrouve une lettre de David, il y parle de son métier, *bye bye Randy, Suzan, Stephan, Trisha, Steve et leurs influences. Je veux dépasser leurs styles imposés, spectaculaires, en garder la fluidité, en accentuer le caractère décontracté, l'élongation du geste et l'amplification du mouvement, à la fois poisson et oiseau. Je ne peux danser-vrai que seul et tu es le seul à me comprendre. Comment codifier le geste et l'émotion? Toutes ces années de danse furent des années de geôle. Heureusement, tu étais là pour la captivité. Hier, en sortant de scène, je me suis évanoui. Ne tarde pas trop à me rejoindre.*

Alors, comme la souris de l'oreiller, la fée de l'atelier, je me suis mis à faire le ménage, à balayer, à ramasser les vieux journaux, à jeter le reste du courrier non sans, pourquoi?, l'avoir déchiré. J'ai préparé des boissons fraîches, des verres propres, des biscuits, une salade de fruits et j'ai dressé la table de la cuisine. J'ai pris dans le placard à fourre-tout deux chaises d'appoint. La nuit tombait, c'était l'heure du souper. David dormait encore. Il dort. J'écris. J'attends. Son repas est prêt. Je me souviens, la lumière du soleil encore haut et un léger mistral animaient la pinède. C'était sur la Côte d'Azur, mouvements de sémaphores, aiguilles de boussoles, six danseurs dont Yoshi et David, éblouis et roses dans le soleil du soir, se déplaçaient d'est en ouest, de l'ombre à la lumière, des rondes d'offrandes symbolisaient le mouvement perpétuel et fécond de la Terre. Je me souviens et c'est demain. Tout encore peut arriver. On frappe à la porte. David, mon aimé, je n'ai pu te donner que ce que je n'ai pas su recevoir.

Le dormeur du val

Des gens de la terre, des gens de clôtures, des gens de Caïn, voilà ce que nous étions, en famille, quand bien même fussé-je le rejeton-rejeté, le numéro 7, certainement la fierté de mon père et le silence de ma mère. David et moi avions la force des désarmés. Nous avons vécu sans tactique, cette effarante combinaison des armes. Nous n'avions pas « la longe », cette capacité guerrière d'atteindre une cible lointaine. Jamais il n'y eut entre nous de pacte ou de délibéré. Nous avions du tact, de l'ardeur. Or, voilà que, cible lointaine, Yoshi nous atteint. Elle s'en vient. Elle est là. Avec Akira.

Quand j'ai ouvert la porte, une ombre est passée dans son regard, me reconnaissait-elle ? Elle ne dit rien. Comme elle se tenait droite, bras ballants, imperméable de coton vert, un sac dans la main gauche, petite, menue, telle qu'en ma mémoire, les cheveux brossés en arrière, chignon sec, l'air de n'avoir pas subi le temps, je me suis légèrement penché vers Akira, petit homme, plus grand que sa mère, pas vraiment aussi grand que moi mais presque et, d'instinct, je lui ai tendu la main, j'ai voulu lui embrasser le front. Lui aussi, les bras le long du corps, s'est courbé, sa tête heurtant mon menton, ma main restant en suspens, il ne connaissait pas ce geste, mais il n'y avait pas eu de recul. En se redressant, il regarda sa mère d'un œil de pirate, comme David regardait le public au moment des saluts, après un pas de deux, même lueur vive et bleue, mèche rebelle, bref instant d'accomplissement, le seul peut-être vraiment possible, quand l'illusion fait croire qu'un couple peut être unique, fondu et non, réalité, l'union de deux solitudes.

Je leur fis signe d'entrer, d'un geste large de la main qui était restée en suspens, en ne faisant pas de bruit. Ils avaient peur, et moi donc. Au vu du lit, Yoshi posa son sac près de la porte et leva l'autre main contre sa gorge comme si elle suffoquait. D'un petit geste elle poussa Akira devant elle. Akira était vêtu de blanc, large blouse, pantalons moulants, chaussures de tennis, le blanc de nos voyages d'antan qui m'apparut soudainement être le blanc des deuils de l'Orient, pureté retrouvée. David dormait toujours, sur le côté droit, bras tendus, mains jointes, doigts croisés en un seul poing au-devant de lui, à quoi s'accrochait-il en rêve ?, à quelle felouque ?, jambes repliées, le corps en partie recouvert par le drap, sueur au front, lèvres crevassées, immensément lointain, un horizon en soi. Akira retira ses chaussures, ses chaussettes, il déboutonna sa chemise qu'il tendit à sa mère. Yoshi se tenait devant moi. Je venais de refermer la porte. Je ne pus observer sa réaction qu'à une infime contraction de la nuque et de son chignon. Akira, torse nu, ôta son pantalon et son slip, d'un seul geste tout glissa, peau de soie, il avait le corps de son père. Il se faufila doucement sur le lit, de mon côté, et prit la même position que David, y avait-il un miroir au milieu du lit, à la verticale? Yoshi recula d'un pas, je la pris dans mes bras, la chemise tomba par terre, sur son sac. Yoshi croisa ses mains sur les miennes, mains glacées sur mains brûlantes de fièvre. Ainsi, nous restâmes longtemps.

Akira tendit un bras et, du bout du doigt, sans jamais toucher notre dormeur du val, dessina le profil de son père, le dessin des yeux, celui de la bouche, puis l'épaule, puis la hanche et il refit le même parcours à l'envers pour finalement mettre le doigt sur ses lèvres. J'entraînai Yoshi dans la cuisine. Elle murmura, « il a toutes les photos de David. Il a été reçu à Boston, premier, à l'unanimité. Logé, nourri, instruit, je l'abandonne. Je n'ai pas à le suivre. Il ne nous appartient plus ». Elle s'assit sur une chaise d'appoint, « tu nous attendais donc? » Puis, « tu ne dis rien » et, « tu te souviens? » Elle but une gorgée de jus de fruit, s'essuya les lèvres délicatement avec une serviette en papier et croqua un biscuit, « mission accomplie? » Debout, immobile et flanchant à la fois, je l'observais, secrète, confiante, décidée, et la revis se jeter dans les bras de David pour de parfaits arrêtés, portés, qui stupéfiaient le public par leur fougue et leur sincérité. « Assieds-toi, bois, regarde-moi. Et puis ce n'est pas ce que je veux dire. Nous repartons demain pour Boston, Akira ne rentre pas avec moi. Je prendrai l'avion pour Tokyo, seule, après-demain. J'ai d'autres élèves là-bas. » Il y eut un silence. Le museau et les pattounes de Supercat apparurent à la vitre de la porte de la cuisine et il y eut tout de suite le cri de la voisine, rappel impétueux. Supercat ne quittait pas son poste. La voisine vint le prendre et nous surprit Yoshi et moi, en pleurs, larmes brûlantes, larmes sèches. Yoshi reprit un biscuit, « laissons-les ensemble ».

Il y eut le silence et son cours, ce fleuve qui nous secourt. « Théâtre, théâtre que tout cela » eussent dit les Paul et autres adorateurs de l'esthétique négative, l'ombre pour la nuit noire des deux dernières décennies. « Je n'ai pas dansé au bon moment », m'a confié David au sortir du bain, il y a trois jours, alors que je l'essuyais, « ce ne sera jamais le bon moment pour toi non plus. Réponds-moi ». Je ne pus que me taire. La vraie réponse est que nous ne nous occupons plus que de nous-mêmes, quand prolifèrent les sécheresses, les famines, le factice, les pestes, les guerres, *le commerce des rusés* cité par Rachel citant le grand René, poète du vide, et que tout nous hante. Nous n'aurons jamais assez honte de ce que nous en avons fait, du monde, à notre esprit défendant. Seul ce mal-là constitue le sujet, et l'amour un ultime recours en grâce. Nous n'aspirons qu'à un peu de tranquillité. Le combat de l'émoi est perdu d'avance. Nous n'attendons qu'un peu de reconnaissance en sachant qu'elle ne viendra pas sous forme de gloire, mais simplement du bout du doigt, le dessin d'un profil et d'une cambrure, avant qu'il ne soit trop tard.

Yoshi me tendit la main, « David est un dieu pour Akira » et, « je n'avais pas vu mon fils nu depuis ses premiers pas de danse. C'est très bien ainsi ». Je conduisis Yoshi dans l'atelier. Nous avons descendu l'escalier en prenant garde de ne pas faire craquer les marches. Il me fallait gagner du temps. Je souhaitais fortement qu'Akira restât et que David ne se réveillât pas. Là, elle s'est assise, moi en face d'elle, et nous ne nous disons rien. Yoshi, comme David et moi, sait d'expérience que la parole est à double tranchant et que les parleurs font souvent les reproches qu'ils n'osent pas se faire. Ils se débarrassent ainsi du fardeau de leurs jalousies et de leur manque à l'échange. Combien de fois, tous trois, avons-nous congédié des amis qui ne tenaient pas leurs promesses ? Combien de fois, tous trois, avons-nous prêté, donné ou offert de l'argent, si peu pour acheter l'autre, mais pour l'aider, voire le remercier, et finalement le perdre ?

L'argent, dernière cartouche de l'amitié, totem du temps, tranche, coupe, sépare, malécoute et provoque des ruptures, laisse des blessures qui ne se referment pas. Combien de fois, tous trois, alors que nous étions les meneurs et les pitres des compagnies en tournée, heureuses facéties, farces et attrapes, nous sommes-nous retrouvés à une table séparée, tandis que tous les autres avaient décidé de souper ensemble, sans nous? Qu'étions-nous, sinon coupables à leurs yeux, parce que capables d'émerveillements et d'obstination?

Je suis allé reprendre mon cahier sans regarder ce qui se passait dans la chambre. Je me suis mis à écrire ces lignes devant Yoshi, qui se tait, pour que le temps passe. Tout divague et tout tangue. Le malheur distingue, c'est un bien grand honneur. Ne surtout pas être considéré par les fourbes, celles et ceux-là mêmes qui n'ont pas l'ombre d'un doute et qui se gardent de ne jamais devenir ce qu'ils sont, refusent et s'autorisent à avoir des griefs. J'écris devant Yoshi. Je me dis qu'elle aussi pense tout ce que je viens d'écrire. Je ne suis pas non plus sans essayer de me convaincre qu'elle espère que j'écrirai ainsi longtemps. Parce qu'ils sont tous les deux, là-haut, l'un dort, l'autre observe.

La nuit est tombée. J'ai allumé une lampe. Yoshi m'a regardé comme pour me demander une permission. Je lui ai souri, elle s'est penchée, et dans le récipient des terres mêlées elle a pris une boule de glaise qu'elle pétrit, fait rouler dans la paume de ses mains, pétrit encore, fait rouler à nouveau, inlassablement. Une fois seulement elle a regardé sa montre.

C'était loin, dans la nuit, la nuit des autres, et comme si ce geste avait ordonné à son fils de se lever, Akira est apparu, habillé, en haut de l'escalier. Nous l'avons rejoint. Yoshi a remis son manteau et a placé la boule de glaise dans un mouchoir, dans son sac, petit bruit du fermoir, un cliquetis. J'ai ouvert la porte. C'est Akira, cette fois, qui m'a tendu la main, la main gauche, comment serrer une main gauche? Yoshi, à son tour, m'a pris dans ses bras, une fraction de seconde. C'est tout, pas un mot. Ils ne se sont pas retournés dans l'escalier. J'ai refermé la porte. Je suis allé vers le lit. David a ouvert les yeux. J'ai dit, « c'était Akira ». Il m'a répondu, « je l'ai vu, je l'ai caressé, je lui ai simplement dit de danser pour moi ».

On

Alors, on enfile un blouson et on sort, on va dans la ville, on parle à voix haute, au père, à la mère, à Cosimo, à Rachel, on respire, on veut faire le point, on n'est plus je mais on, on n'y voit plus très bien pour croiser la foule de la rue Prince-Arthur, pour traverser sans danger la rue Sherbrooke, remonter vers l'est, descendre la rue Saint-Denis jusqu'aux grands boulevards de périphérie, David et moi avions tant encore à nous lire, et je ne peux qu'écrire.

Alors, on enfile un blouson, et on sort, on erre, on voit tout croche, on voudrait mettre ses pieds dans les pas d'Akira, savoir où il se trouve, dans quel hôtel Yoshi l'a emmené, on, on voudrait pouvoir soulever la ville, d'une main la brandir vers le ciel, l'accrocher aux nuages et partir avec elle, à la dérive. On divague, on trébuche, les passants célibataires s'écartent d'un pas ou bien, de loin, vous voient et changent de trottoir. La vérité brute crée l'effroi. On voudrait n'être qu'un on de plus et on se retrouve je, « je ne joue plus » disait David à Oswyn, et il allait au bord du Nil pour souffler à pleines joues, afin de gonfler les voiles des felouques et s'imaginer qu'elles s'éloignaient et regagnaient leur port, grâce à lui.

Alors, on remonte jusqu'au boulevard Saint-Laurent, on fredonne *composers do not cry, composers are made of fire*, l'auteur ne chiale pas, l'auteur est de flammes. Au coin de la rue Sainte-Catherine on croise les travelos, « tu viens faire une marche avec moi, mon chum ? » et on tremble de chaud dans le blouson parmi les belles et beaux dévêtus. On se cogne aux revendeurs de paradis artificiels, on leur dit « non », puis « non », on ne les regarde même plus, on va boire un café régulier sur un comptoir en formica, on trouve le hamburger délicieux parce qu'oublié, on est jaloux et on voudrait gueuler, on se contient, on se sent observé même si on ne l'est pas, on est encore plus jaloux parce qu'on n'a plus aucune raison de l'être, « Akira a pris ma place », j'ai parlé à voix haute, la serveuse a dit, « ça n'a pas de sens » puis, « ça n'a pas d'allure » et, « peux-tu me payer tout de suite ? C'est fermé depuis longtemps ».

C'était à l'heure de celles et ceux qui n'ont trouvé personne d'autre et qui regardent droit les lignes du trottoir, on pourrait voir le ciel de bien avant l'aube, une lueur déjà, les néons deviennent éblouissants, on s'arrête devant une vitrine de sous-vêtements pornos et on se dit que le monde piétine, butine, a fait des affaires pour redevenir puritain et mesquin. On se dit, « c'était bon, ce temps-là », on a des crampes au ventre, on veut s'isoler dans une ruelle, quelqu'un vous suit, dans une autre ruelle ça recommence, on trouve toujours plus cogné que soi, « vous avez pas vu ma gueule? », le type a haussé les épaules et craché par terre. C'est l'heure où on lécherait un crachat. Pour un brin d'espoir on écrirait à l'humanité presque entière, celle des prisonniers de l'esprit ou de la faim, celle qui se condamne ou est condamnée au mépris, à l'égoïsme ou au mutisme, « comme je te plains et comme tu dois être malheureux ».

Un travelo vient de dire à une pute, « j'vas faire un téléphone chez moi et j'redescends ». Il y avait du chant dans sa voix, de la complainte et de l'émoi, que ne ferait-on pas pour les clients du petit matin? Pour un peu j'aurais payé, rien que pour voir, avec les piastres de Rachel, crossette de l'inespoir. L'humanité presque entière a le pouce tourné vers le bas : tombez, gladiatrices et gladiateurs!, laissez passer les faucheuses!, comme si on pouvait séparer une fois pour toutes le grain, quel grain, le fric?, le chic?, de l'ivraie. Au fond de la ruelle, j'ai laissé une flaque. Cette fois, il y avait du sang.

Rue Sainte-Catherine, j'ai regardé vers l'ouest, les gratte-ciel des grands hôtels, et du bout des doigts j'ai adressé un baiser à Akira. Il dort. Il danse déjà pour David. Et moi alors? Yoshi, elle, ne dort pas. De la fenêtre, de très haut, rideaux légèrement entrouverts, elle regarde la ville, le jour qui se lève. Elle pétrit la boule de glaise, la roule et la pétrit de nouveau. Peut-être se souvient-elle d'un vent dans une pinède, c'est si rare de danser en plein air, c'est si dangereux d'écrire en amoureux. Le problème entre deux est de ne pas faire jouer à l'autre le rôle du propriétaire. Yoshi nous a ravi, talent, ravissement, un peu de vie, et vient de nous la rendre. David a-t-il caressé son fils? Je l'espère, j'en suis sûr, ce fut un geste pur, l'ultime réjouissance.

Alors, on se dit qu'on n'aurait pas dû quitter l'avenue Coloniale et la page. On se dit que quand il y a un début il y a une fin, on a de la frayeur, on veut presser le pas, le corps ne répond plus à la commande, c'est dur parfois de remonter la rue Saint-Denis, surtout lorsque le ciel crie, « ce sont des mouettes, docteur K., ce ne sont pas des goélands ». On s'arrête, on se donne l'ordre de ne plus parler à voix haute, que la ville dort encore, que tout se passe comme si je l'avais vécu, comme si on était en train de le vivre. La réalité est la pire et pure fiction. On a la tête qui tourne parce que le ciel tend son voile de lumière, comme un linceul sur une ville qui pourrait à chaque instant briser ses amarres, descendre le fleuve en arrachant au passage les îles, et devenir atlantique, ville atlantique, ultime rêve américain, bastion.

Alors, on s'assoit sur un petit mur devant la librairie Kebuk et on reprend sa respiration. Jamais côte ne fut plus rude. On cherche un souvenir, une odeur vous monte à la tête, celle des arbres que le père vient d'abattre, le tronçon, la souche, le parfum de l'écorce, la fraîcheur de la coupe, mains à plat, y laisser des empreintes pour dire non, se déplacer vers le gaillard à l'ouvrage, le dévisager et lui redire, « non ! » et haïr sa main quand elle se pose sur votre tête, la secoue, un rire, « pleureuse ! Mon fils, ça ? Enfant de chienne ! Et tu es de moi ! » C'était donc ça, rien que ça ?

Alors, on se souvient encore plus attentivement, on veut pouvoir se relever, marcher, rejoindre l'avenue Coloniale, pas plus avenue qu'une autre rue, et on entend le seul dire d'une mère, l'unique phrase de sa fin de vie, le jour des noces de Paspébiac, auberge du Parc, devant Rodrigue et Josée, à propos de David, « mais il vient des vieux pays, ton ami ». Pourquoi « mais » ? Son chagrin était bien fin.

Alors, on tire la fermeture à glissière du blouson, on s'y prend à plusieurs fois, on se dit que la vue baisse surtout lorsque l'on n'écrit pas, et on repart à l'assaut. C'est dur de retrouver l'équilibre. On a une forêt dans la tête, une forêt en marche, on se prend pour Macbeth, « théâtre, théâtre ! », on entend rire les sots et cela donne de la force pour aller plus haut. Il y a les autobus de la rue Sherbrooke. Rachel n'aurait pas dû envoyer de l'argent, c'est fini, c'est sûr, on l'a forcée à en arriver là, à ce point, l'humain n'a pas de monnaie, rien ne s'achète, tout se donne et on se dit qu'on a été cruel.

Pour traverser, tourneboulé, si pressé d'aller veiller l'aimé, on fait tout à l'envers, j'ai attendu au vert, je suis passé au rouge, un taxi m'a frôlé, « tabernake ! », poing tendu à la portière, une voiture a klaxonné, un camion dans l'autre sens m'a fait signe d'avancer. De quoi ai-je l'air, désormais, les bras ceints autour du buste, tremblant, titubant ?

Alors, on voit de l'autre côté une vitrine pleine de livres, tant de livres, tout ce qui est écrit, rarement ce qui s'écrit. Lors de notre dernière visite, la libraire aimable et hystérique, une libraire de l'hyster, avait lancé à David, « vous vivez ici définitivement ? Ben, je suis prête à parier que vous ne ferez pas deux hivers ». David, poliment et parce que l'odeur des livres l'enivrait, il la humait, la gobait, s'enchantait, avait répondu, « à parier quoi ? » « Vos cachets de danseur ! » « Vous n'aurez pas grand-chose, madame. »

Puis, ce fut le carré Saint-Louis, une histoire de librairie sans importance, oublier ça, fouler la pelouse jusqu'à la rue Prince-Arthur. On se dit, « tiens, Michel dort les fenêtres ouvertes » puis, de gauche on regarde à droite et on pense, « Jean aussi a ouvert les siennes », un peu plus loin, fidèle au poste, guettant les écureuils de derrière la vitre, Jules, le chat de qui déjà, Louis ? Il faut encore traverser, laisser le passage à un camion qui nettoie la chaussée, clapoter, retrouver la rue Prince-Arthur vidée de sa foule comme un poulet décapité que l'on suspend au-dessus d'une bassine. Le père aimait ça, la soupe au sang. La mère la préparait en s'interdisant de penser que c'était dégoûtant.

Alors, on arrive avenue Coloniale, on retire le blouson, on cherche les clés de la maison pour être prêt et preste en arrivant au quatrième. Le jour s'est levé. J'ouvre la porte. Ce cahier m'attendait. Premier rayon de soleil sur le lit. David est couché nu, à plat, sur le ventre. Il tient dans sa main droite la photo d'Akira. L'oreiller est tombé par terre. M'a-t-il appelé ? A la hauteur de sa bouche une flaque de sang. Septentrion est mort. On. Il y a des felouques sur le Saint-Laurent. Le vent est tombé. Si tôt, un mardi matin. Au suivant. Ce sont amis que vent emporte.

Kappus & Co

J'aurais dû m'en douter, il ne restait que si peu de pages à ce cahier acheté à Dresde bien avant que le Mur ne tombe, ville de crépuscule avec son trésor de mémoires et des trésors d'œuvres d'art. J'aurais dû m'inquiéter du peu de pages restantes. Dans un premier temps s'est écrit le chapitre précédent, aveu, pulsion, si peu un remords, texte sans destination, je ne connais que la direction. Puis j'ai allongé David au bas du lit, j'ai changé les draps souillés par des draps neufs de Rachel. Le voici, gisant, nu, abattu, mains croisées sur le buste, plaquées sur la photo d'Akira. C'est ainsi que je veux qu'on l'emmène, arbre rongé. Je lui ai fermé les yeux, le plafond n'est qu'une scène vide, la représentation est finie.

Je l'ai coiffé, je lui ai nettoyé la bouche, je l'ai embrassé sur les lèvres, j'avais les lèvres plus froides que les siennes. Rite, je me suis douché, rasé de près, habillé de blanc. J'ai mangé la salade de fruits et rangé les chaises d'appoint. Enfin, j'ai appelé Rachel. Il n'y eut qu'une sonnerie. Elle décrocha, et avant même que je dise un mot j'entendis un, « je le savais », « il s'est endormi et... », « pas de détails, Roch, tout vient comme il faut aux âmes résolues ». « Pardon ? » Elle répéta la phrase, précisa que c'était là ce que Josée avait dit à David le jour des noces de Paspébiac. Ainsi, il écrivait tout à sa mère. « J'ai de quoi lire et relire pour des années. » Rachel avait la voix claire de ceux qui refoulent des larmes bienvenues. « J'en sais plus que vous de vous-même. Je vous remercie. Quelle folie d'avoir réclamé son corps, quelle libération de le savoir parti, il est si beau dans ma mémoire, il danse, il danse. » La voix brusquement se brisa. Je lui ai parlé des fruits, elle m'a dit « merci ». Je lui ai parlé des draps neufs, elle m'a dit « merci. Arrêtons là. Surtout, donnez-moi de vos nouvelles. Je ne préviendrai Ruth et Leïla que dans quelques jours ». « Correct. » « Merci, Roch » et elle raccrocha au moment où elle éclatait en sanglots.

Je me sentis le voleur de notre histoire, prédateur, Rachel ne saurait donc jamais rien d'Akira. Puis j'ai appelé le 911, j'ai mis les services d'urgence en quête de Yoshi et de son fils, annonçant, non sans trouble fierté, la mort du « père ». En quelques minutes le renseignement me fut donné et, à l'hôtel Méridien, on me répondit que Yoshi venait juste de « chéquer out ». J'ai peur de lui parler. Je n'ai plus qu'à lui écrire 2 Nihonenoki Nishi-Machi

Shiba Minato-Ku, Tokyo. Je connais déjà l'adresse par cœur, et à quoi bon alerter. Pierre m'a annoncé que le docteur K. ne rentrerait que dans deux semaines et qu'il venait « justement », justement?, d'écrire à David, « veux-tu que je vienne? » « Non, merci. »

Tout s'est déroulé si vite. Les quatre employés du salon funéraire Kappus & Co de la rue Laurier est, une recommandation de Pierre, « ils sont discrets pour nos cas particuliers ». Ils sont arrivés moins de vingt minutes après ma demande de service. Le patron a dit, « nous avons l'habitude, nous nous occupons de tout », l'habitude?, de tout? Les employés, cravatés, blazers bleu nuit, écussons K & Co, avaient des gants de caoutchouc et des masques ouatés sur le nez, comme des chirurgiens. Le patron m'a fait signer les déclarations, les actes, le devis, « exposition au salon? », « non », « avis dans la presse? », « non », « faire-part pour les amis et la famille? », « non ». Les employés ont roulé David dans un plastique et l'ont placé dans une housse à glissière, comme une vieille paire de skis, « date de la crémation? », « ce soir », « vous avez des témoins? », « non », « nous vous les fourniront ».

Dans une salle qui tenait de la chapelle, du réfectoire et de l'établissement pour noces et banquets, flanqué de deux dames inconnues, « vingt dollars chacune », j'ai vu une heure plus tard le sac entrer dans le four d'incinération, lumière rouge, puis lumière verte, les cendres sont revenues sur un tapis. Il y eut un suave flonflon guimauve, Mantovani et ses cent un violons?, pas vraiment la musique d'un ballet, le balayage, la scrupuleuse mise en urne, une urne encore plus vilaine que la musique. Les dames m'ont présenté leurs condoléances, et j'ai signé un chèque dans le bureau du patron en échange de l'urne enveloppée dans un papier violet, avec ruban *forever, forever, forever.* « Satisfait? » m'a glissé le patron, la bouche en biais. Je ne savais plus quoi penser, où j'étais, où j'en étais, de quel fardeau il s'agissait. Et sur le ton que David employait dans les restaurants pour dire « non » lorsque le maître d'hôtel nous demandait « ça vous a plu? » ou « c'était bon? », fallait-il forcément répondre « oui », une imbécillité ordinaire, j'ai demandé au patron comment il s'appelait, « Kappus, nous tenons ce salon depuis trois générations. Mon grand-père, poète incompris, a émigré ici et a lancé la mode, il y a trop de religions dans ce monde... » Il parlait, parlait en me raccompagnant à la porte. Rachel n'avait-elle pas un jour parlé d'un certain Kappus à qui Rainer Maria Rilkc, « son » Rilkc, avait adrcssé lcs famcuses *Lettres à un jeune poète*?

La pitié est un rejet, je ne demande rien. David et moi fûmes impitoyables, l'un pour l'autre et inversement. La réalité de notre amour échappe à ce texte qui n'a plus de raison d'être, même si parfois l'évidence d'une merveille a frôlé ces lignes, perdure ce qui ne transige pas.

Quand je suis arrivé avec mon urne dans les bras, le propriétaire était en bas de l'escalier, « je viens de sonner chez vous, ça sonne, enfin, je veux savoir pour juillet », « je partirai avant, tout sera désinfecté », « quand ? » J'ai trébuché, l'urne s'est brisée dans le ruban *forever, forever, forever.* Le paquet est sur le bureau à côté de ce cahier, veille mon ami veille, à bientôt te rejoindre. Nous retrouverons-nous dans la foule d'au-delà, au-delà de quoi ? Et où vraiment ? Au pied du lit j'ai ramassé la photo d'Akira et je l'ai embrassée. Puis je l'ai brûlée, comme toi, dans l'évier de la cuisine. Je vais écrire à Yoshi. Je vais écrire à Rachel. Demain je te ferai une urne avec la terre mêlée de nos voyages, « Mamma ! », « Mamma ! » criaient les marins dans la nuit du port de Rhodes.

Sur le bureau j'ai trouvé une lettre de toi, à peine lisible, avec ta canine dedans. Tu t'es traîné jusqu'ici pour me laisser un ultime message. Cette dent, je la suce comme un bonbon qui ne fondra jamais, troisième Suite de Bach, Waldstein. Le téléphone vient de sonner, une journaliste, c'est son métier, « de quoi est-il mort ? » « D'amour, madame, d'amour. »

Courrier recommandé sans accusé de réception

Mon Roch, voilà que tu pars et que je me traîne jusqu'à cette page. Ce bureau m'est familier, nous y sommes couchés sur du papier. Je suis né en colère, (*mot illisible*), apatride, métissé de religion et de *(mot illisible)*. J'ai erré avant de te connaître. La danse ne m'était qu'une errance de plus, je doutais de moi. Puis je t'ai rencontré. Je me suis mis à douter de tout, de tous, si peu une méfiance, tu m'as donné confiance. Le doute, où l'ai-je lu, encore une lecture de ma mère?, est devenu en clair ma seule et unique certitude, laissant l'obscur aux ans d'avant toi. Tu es sorti? Tu respires? Je te salue, j'aurais fait de même. Nous avons *(mot illisible)* à tout faire de même ensemble pendant un « ben beau » long temps, merci, « une belle marche » à deux. Je sens que je vais bientôt gober l'air de mon dernier souffle. Je dirai à Zachary que tu nous rejoindras le plus tard possible. Tu ne me manqueras que si tu me rejoins trop tôt. Tarde, tarde donc. C'est bien sot de penser à un au-delà. Tu es allé faire un tour? Tant mieux. Je peux, grâce à toi, partir la vie dans l'âme. Je t'écris la main gauche sur ma main droite pour calmer le tremblement et je sais que tu arriveras à décrypter le tissu déchiré de mes mots, adieu mon bon, adios mon beau. Merci pour la Suite et la suite de la Suite, la dent sous l'oreiller, la photo, la voix de Yoshi et Akira, enfin, lui, je faisais semblant de dormir, et j'ai eu de ces gestes pour lui, si lents, au ralenti, que j'ai eus souvent pour toi dans les nuits de nos rêves, cette durée, les nuits de nos nuits, cette évidente clarté lancée à la gueule du monde, nous sommes deux, nous le fûmes et le serons. Je m'en vais comblé, féroce, anéanti, *(mot illisible)* et fier de ton ultime jalousie. Voilà que je fais des taches de bave sur cette feuille, glaires ou salive, je ne sais plus ce qui me coule de la bouche et il y a des filets de sang. Il est temps que je rampe jusqu'au lit. Ne rentre surtout pas trop tôt. Je t'embrasse sur le bout du nez, je te mange tout entier. Merci, l'ami. Sculpte pour moi. Tibi. David. P.S. Te souviens-tu de Caracalla ? Je ne suis plus le danseur mais le chat. Et qui jouait la Waldstein ce soir-là ?

A la fin de la transcription de ce message, j'ai avalé la canine. Chacun mange l'autre, chacun enfile la peau de l'autre. Il n'y a pas d'au-delà mais l'esprit demeure, l'esprit libre ne meurt pas. Maudits soient celles et ceux qui rendent le malheur malheureux. Le malheur est vigueur, capacité, appel, il ne faut pas attendre de réponse.

"Contentez-vous de vivre vos questions"
Rainer Maria Rilke,
Lettres à un jeune poète

Comme si ton texte venait me donner l'éclairage qui définit les angles les plus obscurs, me fournit l'heure juste à contrejour. Je me mire dans cette page que tu ouvres, que tu couvres. Il y a eu réception sans accusation.

En pur gain

Je ne peux pas coucher dans ce lit qui fut le nôtre, prendre la place d'Akira, tendre le bras en vain pour mesurer le pouls de l'ami, une nuit chasse l'autre, chaque jour appelle un lendemain, je ne peux même plus sourire du bel aujourd'hui de la vie quand on veut tenir et qu'on ne peut plus. Le cahier est fini, restent des feuilles volantes. J'ai dormi dans le fauteuil de l'atelier, rêvant qu'à mes genoux David me lisait les pages à venir de ce roman de nous. Je le voyais intact, et moi cramponné, chaviré, à sa place, tumeur, rumeur d'un monde qui se tient en otage. Partout on tue, on brade, on trompe, on marchande. La compétition pour le marché du siècle, « le » vaccin, continue. Ce tombeau de deux, ici, à ces lignes, est de privilège et de caste. Vivement que je disparaisse.

Vers midi, je suis allé boire un café sur Saint-Laurent, j'ai acheté un journal, et j'ai lu en bas de la dernière page, dans un coin, *abominable. Plus de mille oiseaux exotiques originaires de Tanzanie, destinés au marché américain, sont morts pendant leur transit à l'aéroport de Nairobi, rapportait hier le* Daily Nation. *Plus de la moitié des deux mille oiseaux – notamment des perroquets et des calaos – enfermés dans des caisses en bois sont morts de faim, d'asphyxie et de déshydratation, ou au contraire, noyés dans les récipients d'eau.* J'ai replié le journal. Je n'avais plus l'appétit pour le sandwich que l'on venait d'apporter. J'ai bu le verre d'eau, goût de Javel, si peu l'eau des sources rêvées au collège, interdiction d'aller au bord du fleuve et interdiction d'aller voir les castors dans les bois.

Souvent, David disait, « ne pas accuser, ne pas excuser ». Nous n'accusions jamais, on nous croyait hautains; nous n'excusions jamais, on nous disait hargneux, le on meurtrier des villes qui s'éveillent un des premiers jours de l'été quand on sait qu'il n'y aura pas d'automne, pas d'hiver, « vivement le départ ». Ces pensées m'ont ragaillardi, j'ai entamé le sandwich, j'ai repris le journal et j'ai lu, *les dents de la mort. Le docteur Abel Devilsworth de Liverpool lance un cri d'alarme dans le numéro du 21 juin du très sérieux hebdomadaire* Nature. *Ses compatriotes britanniques ont de plus en plus tendance à se faire incinérer. Or le cadavre british moyen présente au moins cinq dents cariées, et dûment rebouchées avec un alliage au mercure. Résultat, lors de l'incinération, ce mercure, hautement toxique, s'en va, avec les fumées, empoisonner les environs. Selon les calculs du Dr Devils-*

worth, chaque crématorium de grande ville déverse ainsi dans l'atmosphère locale environ onze kilos de mercure par an. De quoi dépasser largement le seuil de toxicité, qui s'établit à un millionième de gramme de mercure par mètre cube d'air. Face à ce péril, le Dr Devilsworth ne voit que deux solutions, ou bien faire enterrer les cadavres comme au bon vieux temps, ou bien leur arracher les dents avant la crémation.

J'ai laissé cinq piastres sur la table, avec le journal. Dehors, je respirais. Avons-nous besoin de toutes ces disgrâces? J'ai deux lettres à écrire, que je n'enverrai pas.

Lettre nº 1, chère Rachel. Comment brûle le soleil?, avez-vous murmuré à Copenhague le jour où David nous a enfin présentés l'un à l'autre. Vous avez dit cela mezza voce, en buvant une gorgée de thé. Vous teniez à ces présentations et, si tout semblait s'adresser à David et lui parler le langage de ses contes d'Alexandrie, nous n'étions dupes ni vous ni moi : la question m'était adressée. Comment brûle le soleil? Si des savants donnent un jour des réponses, ce sera un outrage de plus à la bonté des rêveries. Ce jour-là aussi, alerte, agacée bien que David vous eût déjà souvent parlé de moi, vous nous avez conté l'histoire des acacias qui dégagent de l'éthylène et peuvent s'avertir d'un danger. Ainsi, affirmiez-vous, « saccagé par l'antilope le taux de tanin de l'acacia monte à 15 %, dose mortelle ». Je me souviens de ce 15 %, prononcé avec diction, malice, presque une émotion. Vous aviez peur de nous deux, une peur qui ressemblait à de la fierté. Tout compte fait, ce n'était pas plus mal, vous demeuriez l'unique femme dans la vie de votre fils. Vous avez même précisé, « les arbres ne bougent pas, eux » puis un, « je suis seule ici, seule et désormais trois ». Vous eûtes un sourire plein, celui de la bienvenue et sur le même mode, quasiment chantant, vous avez lancé un, « on ne donne pas des coups de rame sur ceux qui traversent à la nage », qui pourrait devenir le leitmotiv de ce texte qui n'a voulu qu'être et ne versera pas au paraître. Merci. Il y eut une autre femme dans la vie de David et un fils beau comme le soleil quand il brûle et gère nos saisons. Il s'appelle Clarté en japonais. David ne l'a vu que peu de temps avant de nous quitter à tout jamais. Ils se sont caressés, à l'aveuglette. Je ne vous enverrai pas cette lettre, demeurons seuls à trois. Si un jour vous la lisez, allez voir Akira danser comme David dansa. Offrez-vous un voyage digne de votre reine du Danemark. Je nage seul. Le grand coup de rame est pour bientôt. Je vous embrasse, madame Acacia, votre Roch.

Courrier en pur gain. Ce qui est beau, c'est quand les formes deviennent utiles, le style, alors, est une éthique. J'eusse tant souhaité pouvoir écrire une morale en lieu et place d'éthique, mais ce mot a été souillé, dangereuse arme blanche. Je rêve des *cuchillos de plata*, des poignards d'argent chantés par Lorca, *voces de muerte sonáron cerca del Guadalquivir*, les voix de la mort retentirent le long du Saint-Laurent? J'attends la fin du compte à rebours.

Lettre n° 2, chère Yoshi. Je sais que le blanc, chez toi, est signe de deuil. Tu peux donc le porter. C'en est fait de David. Je t'ai manquée de peu pour te prévenir, tu venais de quitter l'hôtel, as-tu dormi cette nuit-là? Je vous cherchais partout dans la ville. Lettre vaine, tout de suite trop et pas assez, la juste mesure est désormais indicible. Nous devons nous en tenir à la distance que tu as imposée depuis des années. La jeunesse est parricide, Akira est passé, qu'il danse.

Fin, dure, douce et rude fin, je t'appelle. Je vais tout régler avec le premier notaire trouvé dans l'annuaire ou à l'assistance téléphonique. Akira aura l'argent de Rachel, de quoi largement payer ses études, de nous il ne reste que ce que je vais mettre aux poubelles, ni accuser ni excuser. Je vais dormir assis à ce bureau, cassé, le front sur ce cahier et sur ces lettres que je n'enverrai pas. Abel Klein, notre vieil ami de la rue Jeanne-Mance, qui a disparu sans laisser d'adresse et que nous retrouvions un peu partout dans le monde, surtout là où on se battait pour la langue française, ne nous a-t-il pas envoyé un message la veille de son départ, avec pour seul texte, *tout ce qui est écrit est factice*? et, *si la société est un frein, c'est la société qu'il faut changer. Tout est toujours possible.*

Feuilles volantes

L'irréparable est fait, je nous suis écrit. Qui a passé la commande de ce texte? Il y a une logique du vaillant inespoir des gladiateurs qui échappe à la dictée des marketings friands de malheur, risée de celles et ceux, rusées, rusés, qui ne voient que des règlements de comptes et des reportages pathétiques pour faire du fric, and so on. Paul, à New Pork City, Zachary City, nous traitait de N.I.H., nihs, *not invented here*, pas inventés ici. David répondait que nous n'étions que des N.I.N., nins, *not invented nowhere*, pas inventés nulle part. Jamais nous n'avons pu aller vers de plus modestes desseins.

C'est encore pour David que j'écris. Le mépris qui nous a rongés, l'extrême-savoir de ce siècle dont nous sommes un point final même plus à la mode, en vogue, vague, lame de fond, *que sont mes amis devenus, que j'avais de si près tenus*... Tout de bon pour toi, l'amie; tout de bon pour toi, l'ami. Il ne s'agissait, à ces lignes qui n'ont pas pu retenir l'amour d'une vie, que d'une fête, si peu funéraire, un flambeau à la mémoire de deux épris, de deux captifs l'un de l'autre. Notre génération, et cela se sentait dans les chorégraphies, jusque dans certaines musiques répétitives, ne pensait qu'à surveiller et punir, à son corps défendant, à son esprit offensant, quand il fallait surtout prévoir afin de ne pas subir. L'état des lieux de nos corps arrachés l'un à l'autre, pour toujours, et dans quelle déchéance, témoigne de la vanité du savoir. Le crédit fait à l'intelligence est désormais à échéance. Nous devons rembourser la dette du tout-prévoir et du, somme toute, ne rien-savoir. Tout de bon pour vous, les amis.

Le ciel est clair. Supercat est entré par la porte de la cuisine. Il dort sur le lit, là où se tenait David. A Caracalla, à Rome, sur l'immense scène, un piano, un jeune pianiste que je surprendrai ensuite dans les buissons de lauriers avec mon aimé, la Waldstein, une chorégraphie d'Alwyn pour un solo audacieux de David qui avait alors la faveur extrême et éphémère des critiques. Au début du second mouvement de la sonate, un chat gris, un rôdeur des ruines, un matou des ruelles, dirait-on ici, fit son apparition à gauche, se déplaçant lentement, sur le rebord de la plate-forme, vers la droite. Le public retenait son souffle, il avait besoin de pouffer. Ni le pianiste ni David n'ont vu le chat impassible, son ballet, chez lui, autre habitué des buissons de lauriers, odeur forte de la nuit quand un orage menace, c'était l'été de nos toujours vingt ans. Pendant l'*introduzione molto adagio*, le chat, qui d'autre regarder?, traversa majestueusement et lorsque, fin du second mouvement, cela était-il chronométré?, il disparut, soupir du public, quelqu'un en coulisses essaya de l'attraper, il bondit, réapparut. La salle, enfin, éclata de rire. Troublé, David fit un faux pas, et le pianiste une fausse note. Puis ils continuèrent, ils avaient vu le chat. Et le chat fit le trajet inverse, prenant exactement le temps du troisième mouvement, *rondo allegretto moderato.*

Il fallait que j'écrive cette histoire sur ces dernières feuilles volantes, conscient de ce que j'ai tout dit sauf l'essentiel, les pourtours, les alentours, les détours, vaguement les contours, quelques détails, des allusions, des impressions, l'illusion tragique de nous, tout de bon pour vous, les amis. L'orage éclata au moment des applaudissements, public en fuite.

Je ne trouvai pas David en coulisses, le piano avait été recouvert d'un plastique, on nous attendait pour souper chez une vieille danseuse amie d'Alwyn, devenue princesse, *principessa*, dans sa demeure de la Piazza Navona. C'est sous une pluie drue, tiède, une de ces pluies qui transforment les rues de Rome en torrents, que je surprendrai David et le pianiste, nus, debout, dans les lauriers, « le quatrième mouvement de la Waldstein », me dira plus tard David en me rejoignant à l'hôtel, « celui qui n'existe que dans les mémoires de chat ».

Supercat dort en rond sur l'oreiller de David. Chacun écrit sa propre histoire. Le *cantabile* sera toujours pur. J'ai renversé l'encrier en remplissant le stylo. Il ne me reste plus qu'un bas de feuille volante. Je tremble trop. J'ai rempli des dizaines de sacs de vêtements, d'objets, de photos, de carnets, de boîtes dont je ne vérifiais même plus le contenu. J'ai jeté les draps, les couvertures, les serviettes, les mille et un souvenirs. La quatrième fois que je suis descendu avec deux sacs, les six premiers avaient disparu. Quelqu'un a donc remarqué mon manège, trente et un sacs en tout. Je n'ai même pas eu à appeler les services municipaux. Ensuite les chaises, le matelas, j'avais de l'ardeur puisque cela devenait un jeu. Ne restaient que les sculptures. C'est toujours à ce moment-là que survient le marchand, « j'étais à New York, je me suis dit, tiens, va voir Roch, vous vendez tout ?, j'achète tout ! » Les marchands sont bien organisés. Il y a toujours un camion à leur disposition pour tout emporter, « je vous tiendrai au courant. Ça ira ? » Et Kripnietzky m'a tendu une épaisse liasse de billets. Qui est-il déjà ? Je reconnaissais vaguement son visage, qui déjà, de Londres, de Paris, de Berlin, c'était le fondeur d'Athènes.

Dans un sac, j'ai placé quelques lainages, des chaussures, des chaussettes, l'argent, l'urne et des sous-vêtements que David, comme Rachel, se plaisait à appeler « les vêtements de contact ». Quelqu'un dans le quartier doit déballer mes sacs et croire à une merveille. Je n'ai plus qu'à mettre ce texte sous enveloppe à l'adresse du docteur K. Qu'il sache au moins que la lettre à David n'est jamais arrivée. A moi de partir. J'ai encore deux ou trois choses à faire, à commencer par le notaire. De derrière la fenêtre je les ai guettés. Ils attendaient d'autres sacs. Je leur ai fait signe de monter. Il a dit, « je m'appelle René » en roulant le *r*. Elle a dit, « je m'appelle Myriam, on me surnomme Mimi ». Quel âge avaient-ils, vingt ans, guère plus ? « On a tout plaqué et on veut vivre ici. Ensemble. » René a embrassé Mimi devant moi, sur le front, la serrant très fort contre lui. J'ai vu un arbre, un seul arbre. Alors je leur ai donné la clé de David et je leur ai dit, « je pars dans une heure, vous pourrez prendre le reste ». « Même le sommier qui va avec le matelas ? » « Même le sommier. » « Tout ? » « Tout. » « Le poêle, le réfrigérateur ? » « Tout, je vous dis, tout, vous n'aurez qu'à laisser la clé par terre, derrière la porte, à côté de la mienne, c'est convenu avec le propriétaire. » J'ai réfléchi. Il y avait du bonheur dans leurs yeux. « Vous savez de quoi mon ami est mort et de quoi je meurs ? » « Il est si beau sur les photos », murmura Mimi, et elle baisa ma main, tenant de l'autre main son René. Je peux m'en aller avec un sentiment de mission accomplie, de mission impossible, de mission infinie. « C'est romantal et sentimentique », aurait dit David, sans se moquer. Quand René et Mimi sont partis, je leur ai dit, « merci infiniment ». Je viens de cracher une dent, la dent de David. J'aurais tant voulu pouvoir la croquer comme une amande fraîche.

Coup de poignard

Je soussigné docteur K., récipiendaire de ce texte, déclare le soumettre à la publication sous le nom d'un auteur de vague renom, non pour l'exemple mais pour le doute, face à un mal dont je ne suis plus qu'un analyste et un témoin impuissant : je n'ai jamais eu le courage d'écrire à David. Je ne peux, ne veux ni ne dois, jouer le jeu d'une mort certaine, même si les mots ont parfois un pouvoir thérapeutique, même si de *mot* à *mort* il n'y a qu'un glissement que les sémiologues qualifieraient en savants. Je suis devenu docteur parce que je voulais me pencher et guérir. Or, devant ce mal devenu ma spécialité, je ne peux qu'admettre que s'il est viral, hypothèse reçue, reçue seulement, évidente bien sûr, il est aussi social, moral, communautaire, autre mot qui glisse à l'immunitaire, et procède d'un épuisement du corps qui ne résiste plus à d'inhumaines conditions de vies, physique, psychique et historique. L'écrire est objectivement hasardeux, c'est du hasard qu'il s'agit : ce texte est un coup de poignard, un entre mille et mille, et merci à l'auteur qui s'instaure prédateur, d'avoir bien voulu le signer, comme une fiction, afin qu'il circule, au moins un peu, et témoigne. Le mal de David et de Roch est celui d'une société gavée de reproches qu'elle n'ose plus se faire, de questions qu'elle ne veut plus se poser, société sans audace, le mal de l'involution, le mal de l'implosion, le mal de toutes les suffisances. Tout aveu étant tenu pour une supercherie et tout sentiment exprimé, puis imprimé, pour un mensonge de plus, je comprends que l'auteur qui sert de prête-nom à Roch sur la couverture de ce livre ait accepté de brader le meilleur et plus strict de sa vie, un paradoxe pour lui qui fut si longtemps intransigeant et qui se livre ainsi à la récupération de tout, le mal en soi. Une phrase seulement a été biffée par Roch, dans le manuscrit. Elle concerne ce qu'on appelle les vidanges à Montréal et les poubelles à Paris, mot usuel qui avait été le nom d'un préfet de police inventeur dudit contenant à déchets. Ce détail importe. Il est aussi le syndrome du mal qui constitue le sujet de ce texte de deux : notre société regorge de déchets et en consomme à satiété. Société, satiété : encore une glissade. Je me bornerai à l'épilogue. Je me suis employé à refaire l'itinéraire suivi par Roch, après le précédent chapitre. Il y eut d'abord la visite chez le notaire, maître P., dont le nom figure sur de nombreuses publications destinées aux gays, cible privilégiée, horrible privilège, d'un mal qui désormais concerne toutes et tous. Roch n'a donc pas cherché au hasard, dans l'annuaire, il a relevé cette publicité, petit encart, avec pour titre, *si vous partez, mettez du clair dans vos affaires.* Nous voyons bien, encore, que tout, absolument tout, est récupérable et qu'il n'y a plus de peines honorables. C'est maître P. qui m'a remis ce texte après la mort de Roch. Il y eut deux mois pendant lesquels, dans un premier temps, Roch se rendit à Boston, frétant une voiture avec chauffeur, lequel chauffeur retrouvé me dira, « il ne disait rien, il avait un sac sur lequel il prenait appui. En me payant, au retour, à l'entrée d'un collège, il m'a seulement confié un numéro de téléphone, un billet de cent dollars en plus et demandé d'appeler une certaine Rachel pour lui dire merci, de vous joindre pour que vous contactiez le notaire qui gardait une enveloppe pour vous ». Roch s'est donc rendu à Boston. Le directeur de l'école de danse me confirmera que la rencontre avec Akira avait été brève. La scène s'était déroulée dans son bureau. Interrompu au milieu d'un cours, Akira s'était présenté en survêtement. Il avait salué Roch, les bras le long du corps, à distance. Roch s'était approché en lui tendant une urne de forme grossière, « je l'ai façonnée avec la terre de nos voyages. Il y a les cendres de ton père. Danse pour nous ». Akira avait à nouveau salué et était sorti, lentement, tendant l'urne devant lui. Le directeur de l'école de danse me confiera qu'il avait essayé, plus tard, d'expliquer à son élève ce que Roch avait dit, « la terre de nos voyages », « danse pour nous » et que, ne comprenant pas lui-même, Akira avait demandé de tout écrire à sa mère. Déjà Yoshi avait ordonné que son fils consultât un ophtalmo, et que dépense fût engagée pour un œil de verre. De Boston, Roch se fit conduire au collège de son enfance. Le père supérieur me confirmera qu'ils avaient accepté ce « moribond » parce qu'il avait été leur élève pendant onze ans et parce que, moyennant finance, l'argent des sculptures?, il s'était engagé à achever le travail du père Cosimo dans le transept de l'église. « Il se mit à l'ouvrage. Mais en quelques semaines il devint aveugle. Ses mains n'étaient que deux plaies. Un jour, il est tombé de l'échafaudage. Il est mort sur le coup. J'ai retrouvé sur le dallage une dent qu'il suçait toujours comme un bonbon. Nous l'avons enterré près de Cosimo. Il y avait sa sœur Josée et un jeune homme qui pleurait. Nous avons fait effacer la sculpture qu'il avait reprise, c'était obscène pour un lieu de culte, un démon de la luxure, pensez-vous! Avec l'argent qu'il nous a laissé, nous avons engagé un autre sculpteur, venu d'Italie, avec lui pas de surprise. Etes-vous un parent? » « Non, un ami. » Je soussigné docteur K. déclare préférer l'anonymat. Ainsi la foule va. Chaque jour j'en vois partir un, deux, trois, hommes, femmes, jeunes, vieux, point commun, ils furent amoureux. Je me souviendrai toujours de David disant, « toute danse est une assistance à personne en danger de vie », et, embrassant Roch sur les lèvres, devant mon ami et moi, « nous nous assistons ».

Cet ouvrage a été réalisé par la
SOCIÉTÉ NOUVELLE FIRMIN-DIDOT
Mesnil-sur-l'Estrée
pour le compte des Éditions Flammarion
en avril 1991

Imprimé en France
Dépôt légal : avril 1991
N° d'édition : 13126 – N° d'impression : 17128